Maria Cristina Peccianti

Storie della Storia d'Italia

Italiano come seconda lingua: letture con l'uso
di sole 3.000 parole dell'italiano di base

MARIETTI-MANZUOLI

I edizione 1988

Ristampe:

6 5 4 3 2   1992 1993 1994 1995 1996 1997

ISBN 88-393-3685-0

Stampa: Abete Grafica S.p.A., Casale Monf. (AL)

INDICE

NOTA DELL'AUTRICE

Il presente volume della collana «Leggere l'Italia», il secondo in ordine di tempo, si compone di letture che hanno per argomento la storia.

Non è tuttavia un libro di «storia», ma di «storie» (come dice il titolo) per una facile e piacevole lettura. È perciò rivolto a tutti i lettori per i quali l'italiano è lingua seconda, agli studenti dei corsi di italiano per stranieri, a tutti coloro che hanno qualche difficoltà con la lingua, ma interesse per la civiltà italiana.

Tutti i testi di «Leggere l'Italia» si propongono di essere altamente leggibili e insieme di offrire un quadro ampio e aggiornato della cultura italiana nei suoi vari aspetti: ambiente, storia, letteratura, arte (questi due ultimi temi verrano trattati nel terzo e nel quarto volume).

La leggibilità di questo e del precedente testo, «Regione per regione», è stata controllata con l'indice di Flesch che è risultato non inferiore a 60. Inoltre, non sono state usate più di 3000 parole del vocabolario di base della lingua italiana.

Leggere l'Italia è dunque assai facile, ed è un modo piacevole per arricchire la conoscenza della lingua e della civiltà italiane.

Ringrazio tutti gli amici dell'Università e della scuola per stranieri di Siena che mi hanno sempre aiutata e incoraggiata. Un particolare ringraziamento va al Prof. Massimo Vedovelli che in questa occasione ha confortato il mio lavoro con consigli preziosi e utili.

M.C.P.

Apollo di Vejo, intero e particolare, Roma, Museo Nazionale di Villa Giulia. ►

PARTE I

I misteriosi Etruschi

Il primo grande popolo italico sono stati gli Etruschi, presenti nella zona occupata oggi dalla Toscana e dal Lazio settentrionale fino dall'età del ferro.
Gli Etruschi sono ritenuti un popolo misterioso perché non sappiamo nulla di preciso sulla loro origine e perché non comprendiamo bene la loro lingua, ma sappiamo molte cose sulla loro civiltà. La maggior parte delle informazioni le abbiamo dalle «città dei morti», le necropoli[1], che si sono conservate

1. Fra le necropoli etrusche meritano di essere viste quella di Tarquinia che ha una cinquantina di tombe sotterranee con bellissimi affreschi, e quella di Cerveteri che è la più grande. Sono molto interessanti il Museo di Tarquinia, il Museo di Villa Giulia, a Roma, nel quale si trova, fra i numerosissimi oggetti, il famoso sarcofago «dei due sposi», e il Museo di Chiusi (Siena), più piccolo, ma ricco di splendidi gioielli.

Il citaredo (affresco di tomba etrusca di Tarquinia, V sec. a.C.). Gli Etruschi erano un popolo che amava la vita in tutte le sue espressioni. Si divertivano soprattutto con la musica e con la danza, ma anche con i banchetti, le feste, la caccia e le gare sportive.

molto bene. I materiali usati per le tombe hanno infatti resistito al tempo, mentre non è stato così per le case e i templi, costruiti con il legno e la terracotta[2]. Le tombe inoltre sono spesso simili alle case dei vivi poiché gli antichi immaginavano la morte come una copia esatta della vita. Vi sono oggetti di uso quotidiano e affreschi che rappresentano i banchetti, i balli, gli sport, le occupazioni dei nobili etruschi. Le tombe etrusche sono così come un libro illustrato dal quale possiamo sapere come era la vita sociale e privata delle antiche popolazioni dell'Etruria.

La vita economica degli Etruschi fu molto sviluppata. Essi furono agricoltori, artigiani, commercianti e marinai. Il terreno era fertilissimo, ma fu anche lavorato con grande abilità. Con i molti minerali delle Colline Metallifere (Toscana) e dell'Isola d'Elba facevano armi, strumenti da lavoro e oggetti artistici che vendevano anche in terre lontane.

Gli Etruschi non amarono mai vivere in campagna, ma in grossi centri che possiamo considerare le prime città in Italia: Cere, Tarquinia, Roselle, Vetulonia, Orvieto, Chiusi, Volterra, Perugia, Arezzo. Le città rimasero sempre indipendenti e divise, ciascuna governata da un loro Re, detto Lucumone, e più tardi dai nobili.

La società etrusca era divisa in due sole classi: nobili-padroni e servi. Fra i servi vi erano quelli che lavoravano nella casa del padrone ed avevano condizioni di vita abbastanza buone, quelli occupati nei lavori agricoli, e veri e propri schiavi che lavoravano nelle miniere.

La civiltà di questo popolo ebbe il suo massimo splendore nel VII e VI sec. a.C. quando gli Etruschi dominarono su tutto il Tirreno, il mare che da loro prese il nome; dai Greci infatti gli Etruschi venivano chiamati Tirreni. Nel V sec. a.C. la potenza etrusca cominciò a diminuire, ma come popolo gli Etruschi continuarono a esistere ancora per secoli ed ebbero molta influenza sulla civiltà di Roma.

2. Gli Etruschi usavano tegole e mattoni, spesso dipinti a colori vivaci, come materiale da costruzione.
La tradizione di questo tipo di materiale che si ottiene da un impasto di argilla (terra tipica di alcune zone dell'Italia centrale) cotto ad alta temperatura e che viene detto «laterizio», si è mantenuta, attraverso i secoli, fino ad oggi, soprattutto nelle terre dell'antica Etruria (Toscana, Emilia, Umbria, Lazio) e dà un aspetto caratteristico a molte delle sue città.

Un sarcofago etrusco. Rappresenta due coniugi sul lettino conviviale. Da notare l'atteggiamento affettuoso del marito. La donna nella società etrusca aveva molta influenza negli affari del marito e nell'educazione dei figli. A differenza di quanto accadeva presso tutti gli altri popoli antichi godeva di ampia libertà; partecipava ad allegri banchetti ed a tutte le manifestazioni della brillante vita etrusca.

La prima donna italica era vivace e affascinante

Gli Etruschi amarono sempre la vita lieta, gli allegri banchetti, la musica e i balli, così come gli spettacoli di forza e la caccia.
Dedicavano il loro tempo soprattutto alle attività pratiche e ai piaceri materiali. La loro religione aveva caratteri di magia più che di filosofia.
Le donne partecipavano a tutte le feste e ai divertimenti, anche quelli più liberi e violenti, perché erano esse stesse molto libere e godevano di grande considerazione nella famiglia e nella società. Nelle tombe di famiglia spesso la camera centrale, la più ampia e la più bella, è per la donna, sugli oggetti è inciso il nome della padrona di casa, signora sempre vivace ed elegante.
Le donne etrusche avevano inventato molte delle mode che hanno caratterizzato i secoli successivi. Si tingevano i capelli di biondo, si pettinavano come si pettineranno le dame dell'800, portavano sandali[1] molto simili a quelli che si possono vedere oggi nelle vetrine. I gioielli di cui si ornavano, talvolta in modo un po' eccessivo, e che si possono vedere nei musei, erano bellissimi. Gli Etruschi furono infatti orafi[2] molto bravi sia sul piano tecnico sia su quello artistico e ancora oggi si cerca di imitare lo stile delle loro collane e dei loro anelli.
Le affascinanti signore non avevano però una buona reputazione.
Così scrive di loro, nel IV sec. a.C., lo storico greco Teopompo:
«...si presentano nude spesso tra gli uomini, talora tra le altre donne, in quanto non è considerato disdicevole[3] mostrare il proprio corpo. Stanno a tavola non vicino al marito, ma al primo venuto e brindano alla salute di chi vogliono. Sono forti bevitrici e belle da vedere».
Certamente Greci e Latini, abituati a tenere le proprie donne chiuse dentro le mura domestiche, non potevano approvare questo comportamento. I Romani poi, per i quali la donna ideale era «pudica, lanifica, domiseda» (modesta, brava a lavorare la lana, casalinga), dovettero accettare con difficoltà le ragazze etrusche nelle loro famiglie quando le due società si mescolarono. Ma con il tempo i Romani riuscirono a vincere anche sulla libertà delle donne etrusche che impararono a stare in casa e a lavorare la lana.

1. ***Sandalo:*** calzatura per uomo o donna, che si porta ancora oggi in estate, costituita da una suola legata al piede per mezzo di strisce di cuoio disposte in vario modo.
2. ***Orafo:*** chi lavora l'oro e altri metalli preziosi.
3. ***Disdicevole:*** sconveniente.

Donna etrusca, vestita in modo elegante.

Le mitiche origini di Roma: la lupa che allatta Romolo e Remo (rilievo in pietra proveniente da Avenches, in Svizzera; II sec. d.C.).

Le origini di Roma

La leggenda[1] racconta che Roma fu fondata da Romolo, personaggio dalla vita molto singolare. Figlio del dio Marte e di Rea Silvia (figlia del Re di Albalonga), era stato abbandonato, insieme al fratello gemello Remo, sulle rive del Tevere e si era salvato perché una lupa gli aveva dato il suo latte.
Poiché i Re di Albalonga discendevano dal Principe troiano Enea[2], ciò assicurava a Roma origini molto illustri, legate agli eroi classici. È tipico del modo di pensare degli antichi trovare un fondatore per ogni città, ma certamente una città non può nascere dal nulla per iniziativa di un solo uomo. Roma di fatto nacque ventisei secoli fa (735 a.C.) dall'unione di alcuni villaggi[3] che si trovavano sui colli, alla sinistra del fiume Tevere.
Questi villaggi esistevano già nel sec. IX ed erano abitati dai Latini che vivevano in povere capanne e coltivavano quanto serviva per la loro povera alimentazione, soprattutto orzo e farro[4].
Sui fatti dei primi secoli di Roma non sappiamo molto. La città fu in un primo tempo governata da Re, ma sicuramente essi furono più dei sette che la tradizione ricorda. I Re venivano eletti dai cittadini ricchi e nobili, i patrizi[5], ed avevano poteri assoluti (*imperium*) solo in guerra; nell'amministrare la giustizia e gli affari pubblici dovevano sentire il parere dei *patres*, cioè i capi delle famiglie patrizie che formavano il Senato. I Re si occupavano anche del culto degli dei, assistiti dai sacerdoti, poiché erano loro che dovevano conservare buoni rapporti fra gli dei e la città. Tutta la religione dei Romani antichi ebbe un carattere pratico; si pensava che gli dei dovessero essere soddisfatti con molti riti e sacrifici[6], per avere il loro aiuto e la loro protezione.
Gli ultimi Re, i Tarquini, furono etruschi. Nel VI sec. a.C. Roma risentì molto dell'influenza della civiltà etrusca; nello stesso periodo si trasformò da povero centro di agricoltori in una vera città, con un suo territorio, alcune decine di migliaia di abitanti e un buono sviluppo del commercio, favorito dai Re stranieri.
Attraverso gli Etruschi i Romani ebbero contatti anche con i Greci della Campania dai quali presero molti elementi di civiltà.

1. ***Leggenda:*** racconto in cui fatti e personaggi o sono immaginari o sono cambiati, alterati dalla fantasia e dalla tradizione, per rendere gli stessi fatti e personaggi più interessanti ed esemplari.

2. ***Enea:*** l'avventurosa vita di Enea fu narrata, al tempo dell'Imperatore Augusto, da Virgilio nell'Eneide (poema di Enea).
Valoroso eroe della Troia omerica, Enea si salva dall'incendio della città e, per volere degli dei, si mette in viaggio per cercare il luogo dove dovrà nascere una nuova città destinata a divenire «signora» del mondo.

3. ***Villaggio:*** centro abitato, piccolo e non evoluto. Oggi il termine si usa anche per indicare un complesso edilizio costruito per uno scopo preciso come ad esempio il villaggio olimpico.

4. ***Farro:*** un tipo di cereale con basso valore nutritivo che oggi non viene più coltivato.

5. I plebei, che erano la maggior parte della popolazione, non partecipavano al governo della città.

6. ***Sacrificio:*** il sacrificio consisteva generalmente nell'uccisione di un animale, che doveva avere certe caratteristiche, con regole molto precise. Era molto diffuso anche l'uso di offrire doni naturali come frumento e frutta, poiché la civiltà romana dei primi secoli fu essenzialmente contadina. I riti prevedevano canti, balli, processioni, cerimonie varie. Si prestava molta attenzione ai numerosi segnali (presagi) con cui si pensava che gli dei facessero conoscere il proprio volere e il proprio «umore». Un presagio molto importante era l'*auspicium*, tratto dal volo degli uccelli.

Il tempo della Repubblica

Gli storici antichi raccontano che il Re Tarquinio il Superbo fu prepotente e violento; lui e i suoi familiari opprimevano la popolazione. Per questo nel 509 a.C. i Romani si ribellarono e dettero inizio ad una nuova forma di governo che durerà cinque secoli: la Repubblica.

A capo della Repubblica c'erano due consoli. I consoli erano eletti per un anno dai cittadini ricchi riuniti nei Comizi Centuriati, comandavano l'esercito ed erano i presidenti del Senato che aveva molto potere politico ed economico. La carica di senatore, al contrario di tutte le altre, durava per tutta la vita; divenivano senatori tutti quelli che avevano avuto un'importante carica dello Stato.

Nella Repubblica Romana erano cariche importanti, oltre ovviamente a quelle dei consoli, quelle dei pretori che amministravano la giustizia, quelle dei questori che amministravano il denaro pubblico, quelle dei censori che facevano il censimento dei cittadini e controllavano il loro comportamento morale[1].

In momenti di particolare pericolo per lo Stato si poteva eleggere un Dittatore che era il capo assoluto, sia militare sia civile, con poteri di vita e di morte su tutti i cittadini.

Tutte le cariche o magistrature erano comunque in mano ai patrizi (i cittadini ricchi e nobili) che, in assenza di leggi scritte, amministravano la giustizia e l'economia secondo i loro interessi.

I plebei furono così costretti a lottare duramente per conquistarsi alcuni diritti. La prima vittoria fu ottenuta dalla plebe nel 450 con le leggi scritte, dette delle Dodici Tavole, perché furono incise su dodici tavole di legno. Queste leggi rimasero per molti secoli il fondamento del diritto romano e venivano fatte imparare a memoria anche ai bambini delle scuole. Ma anche le leggi delle Dodici Tavole erano più favorevoli ai patrizi che ai plebei. Prevedevano ad esempio che i debitori che non pagavano fossero fatti a pezzi dai loro creditori, proibivano il matrimonio fra patrizi e plebei, ecc. I plebei continuarono a lottare. Ottennero nel 449 di avere magistrati propri, i tribuni della plebe, nel 367 di potere essere eletti consoli.

Di fatto però solo quei plebei che si erano arricchiti con l'agricoltura o con i commerci avevano reali possibilità di partecipare al governo e questi, anche se non avevano origini illustri, avevano interessi comuni con i patrizi.

Nella Repubblica Romana ci saranno elementi di vera democrazia solo nel 287, quando anche le decisioni prese dalle assemblee (concili) della plebe avranno valore di legge per tutti i cittadini.

1. Il termine censura e il verbo censurare indicano oggi il controllo preventivo delle opere (libri, opere teatrali, opere cinematografiche, televisive, ecc.) da diffondere fra il pubblico.

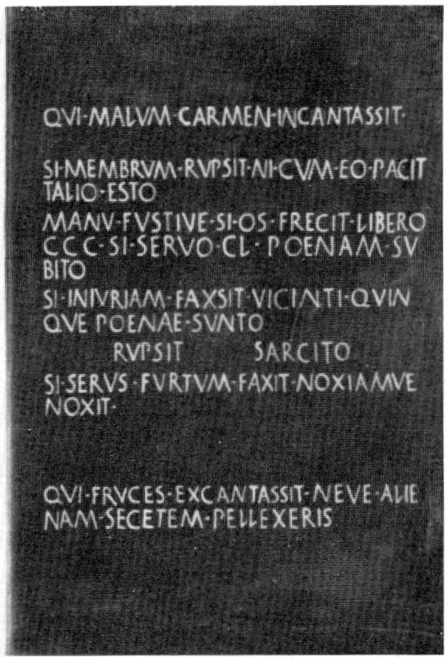

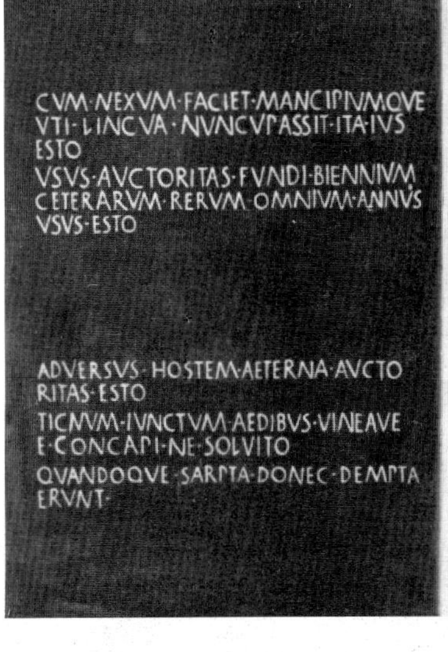

La legge delle Dodici Tavole. Le Dodici Tavole, distrutte durante un'invasione dei Galli, furono più tardi ricostruite.

Roma signora del Mediterraneo

Mentre all'interno si svolgevano le lotte fra patrizi e plebei, Roma era impegnata all'esterno nella conquista dell'Italia centro-meridionale, che fu completata nel 275 a.C. con la guerra contro Taranto.
I più duri da vincere furono i Sanniti che costrinsero i soldati romani a combattere sugli Appennini, fitti di vegetazione e per loro sconosciuti. L'invasione della Sicilia provocò lo scontro con Cartagine, potente città fenicia dell'Africa settentrionale con la quale i Romani combatterono tre guerre. La vittoria finale fu sempre di Roma nonostante che i Cartaginesi avessero un capo d'eccezione: Annibale.
Nel 146 a.C. la stessa città di Cartagine fu distrutta.
Roma intanto aveva vinto anche la Macedonia, la Siria e la Grecia che divennero «province» insieme a Sicilia, Sardegna e Corsica, conquistata con la prima guerra contro i Fenici. Gli abitanti delle province vengono considerati «sudditi»[1] di Roma, sono costretti a pagare pesanti tasse e sono governati da un magistrato romano che ha poteri civili e militari.
I motivi di tanti successi militari dei Romani sono molti. Roma, rispetto alle altre città dell'epoca, aveva una grande disponibilità di uomini; qualsiasi cittadino di età compresa tra i diciassette e i sessanta anni era infatti un soldato. I Romani possedevano inoltre la capacità di creare tecniche di combattimento sempre nuove ed adatte alle circostanze del conflitto e potevano contare su soldati assai coraggiosi, ubbidienti e disciplinati.
Tutte le città antiche furono comunità di guerrieri, e Roma lo fu più di ogni altra, ma nei momenti di maggiore pericolo tutto il popolo dimenticava le discordie interne e si univa nella volontà di resistere fino all'ultimo.
Così i Romani combatterono moltissime guerre e molte ne vinsero, convinti sempre più che gli dei fossero dalla loro parte.

1. ***Suddito:*** chi dipende da una sovranità statale e come tale ha certi doveri, ma non ha i diritti propri del cittadino.
Il termine indica anche chi dipende dal Sovrano in una Monarchia assoluta.

Guerrieri sanniti. I Sanniti abitavano l'antichissima regione del Sannio che comprendeva una parte dell'Abruzzo e del Molise di oggi.

Giulio Cesare

Le grandi conquiste produssero a Roma molti cambiamenti nella vita economica e sociale che portarono di conseguenza cambiamenti politici, fino alla crisi e poi alla fine della Repubblica.
Le guerre di conquista avevano arricchito i già ricchi senatori e creato una classe di nuovi ricchi, i cavalieri, ma avevano anche creato dei nuovi poveri.
I piccoli proprietari terrieri infatti avevano abbandonato per anni la propria terra per combattere per la patria, ma quando tornarono a casa la terra, non coltivata per tanto tempo, non dava più il necessario per vivere e doveva essere venduta.
Molti andavano a Roma sperando nella fortuna e formando una massa di disoccupati scontenti. Ugualmente scontenti erano gli Italici che venivano considerati alleati, ma non avevano la cittadinanza romana e i vantaggi che essa dava. C'erano inoltre le ribellioni degli schiavi anch'essi non soddisfatti della loro condizione.
Roma era dunque piena di tensioni. Dopo che fu fallito il tentativo dei fratelli Gracchi di risolvere i problemi con leggi favorevoli alla plebe, ai contadini e agli Italici, la Repubblica cadde nelle mani dei «signori della guerra».
Erano questi, comandanti molto abili che avevano dato a Roma delle importanti vittorie, avevano dei soldati molto fedeli, avevano sete di potere. Ci furono signori della guerra «democratici» che difendevano gli interessi della plebe e «conservatori» che difendevano quelli del Senato e dei ricchi.
Così Roma vede di fronte Mario e Silla ed ha la sua prima guerra civile con la vittoria del partito conservatore di Silla e 5000 cittadini uccisi.
Morto Silla è la volta di Cesare e Pompeo fra i quali sarà Cesare il vincitore.
Cesare fu di certo un grande personaggio. *Shakespeare* lo ha rappresentato in una delle sue opere più importanti; molti hanno scritto di lui in negativo o in positivo mostrandolo ora come un vero genio e un uomo giusto, ora come un ambizioso con grande sete di potere. Ebbe un'educazione raffinata con maestri di greco e di latino, divenne un abile scrittore e oratore. Le sue due opere più importanti, *Commentari de bello gallico* e *Commentari de bello civili*, dove racconta le sue esperienze militari, hanno un grande valore artistico e letterario. Cesare rappresenta se stesso come un uomo straordinario, giusto, saggio, coraggioso, amato dai suoi soldati quasi come un dio.
Anche la plebe lo amava e lo appoggiava, affascinata dalla chiarezza delle sue idee che sapeva esporre in un linguaggio che tutti potevano comprendere.
Certo non gli mancò l'ambizione ed ottenne sempre più potere attraverso alleanze e operazioni politiche spregiudicate[1].
Alla fine, nominato Dittatore a vita, ebbe nelle sue mani tutti i poteri dello Stato e la sua figura era molto simile a quella di un Re.

1. ***Spregiudicato:*** caratterizzato da libertà eccessiva di modi e di atteggiamenti, senza alcun pregiudizio e scrupolo, specialmente di natura morale.

Si dimostrò un buon «Re», generoso con i nemici, giusto con i poveri e i deboli, ma alcuni patrizi o in nome di interessi personali o in nome della Repubblica si unirono contro di lui e lo uccisero in Senato, a colpi di pugnale.
Era il 15 marzo del 44, le Idi di marzo secondo il calendario romano.
La morte di Cesare non fu una vittoria per i suoi nemici, ma piuttosto l'ultimo grande trionfo di questo personaggio. Ai suoi funerali era presente tutto il popolo di Roma (donne, artigiani, operai, schiavi, liberti) commosso e disposto alla vendetta.

Giulio Cesare.

L'Impero Romano

Coloro che avevano voluto la morte di Cesare pensavano di ridare vita alla Repubblica e che il popolo sarebbe stato dalla loro parte. Il popolo invece appoggiò i seguaci di Cesare, Antonio ed Ottaviano che Cesare stesso aveva lasciato come suo erede. Bruto e Cassio, insieme ad altri che avevano ucciso per salvare la Repubblica, furono costretti a fuggire.
In un primo tempo Antonio ed Ottaviano si divisero il potere insieme a Lepido che era stato comandante nell'esercito di Cesare. Poi il giovanissimo Ottaviano, sostenuto dal Senato, poiché cercava di imporre il suo volere con un «certo» rispetto delle tradizioni romane, rimase il solo padrone di Roma.
Con Ottaviano le istituzioni repubblicane rimasero formalmente[1] in vita, ma egli a poco a poco ebbe nelle sue mani tutte le più alte magistrature dello Stato. Fu console, tribuno della plebe, pontefice massimo, capo supremo dell'esercito e come tale ebbe il titolo di Imperatore; in seguito fu detto anche Augusto, cioè colui a cui si deve rispetto e con questo nome verrà ricordato nei secoli.
Augusto governò per quarantacinque anni e dette a Roma e a tutte le popolazioni dell'Impero un lungo periodo di pace. Il suo governo fu forte e autoritario, ma egli mostrava rispetto per il popolo, per il Senato e soprattutto per le leggi dello Stato; riuscì così a ridare fiducia e unità ad una società carica di tensioni. Si preoccupò anche di legare sempre più a Roma le terre che erano state conquistate e di esaltare la grandezza e la bellezza della città con la costruzione di strade, piazze, ponti, acquedotti, teatri e templi.

1. ***Formalmente:*** qui l'avverbio, che deriva dall'aggettivo «formale», indica che le istituzioni repubblicane, sotto Augusto, avevano vita nella forma, ma non nella sostanza; c'erano, ma erano prive di potere effettivo.

Acquedotto romano di Nimes (Francia meridionale).

Quando Augusto morì, nel 14 d.C., era chiaro a tutti che ormai a Roma si era formato un regime di tipo monarchico. Tiberio, nipote di Augusto, sarà il nuovo Imperatore.
Dopo Augusto vi saranno ancora dei buoni Imperatori come Adriano o Marco Aurelio e dei meno buoni o addirittura un po' pazzi come Caligola, che nominò senatore il suo cavallo, o il famoso Nerone. Ma questa specie di monarchia, con Sovrani scelti e sostenuti anche con grandi lotte, ora dai soldati di Roma, ora dal Senato o dalla plebe, durerà fino al 476.
«Fare l'Imperatore» non era un mestiere facile; Roma era una grande città con un milione di abitanti e molti problemi. A Roma, come nelle altre grandi città antiche, solo una piccola parte degli uomini liberi aveva un lavoro fisso (fornai, sarti, falegnami, orafi, ecc.); un grandissimo numero di plebei erano disoccupati, poiché il lavoro era svolto per lo più dagli schiavi.
Gli Imperatori dovevano perciò mantenere la plebe con grano, olio ed altri alimenti distribuiti gratis[2] o a poco prezzo. Così come erano offerti gratis alla plebe i divertimenti: corse di carri tirati da cavalli, lotte fra gladiatori[3] e fra gladiatori e bestie feroci. *Panem et circenses* (pane e spettacoli nel circo) era il famoso detto con cui si definivano i bisogni della plebe romana e di conseguenza i mezzi con cui gli Imperatori riuscivano a tenerla calma.
Ma la plebe non era sempre calma. Quando il grano dalla Sicilia o dall'Africa settentrionale non arrivava i poveri disoccupati rimanevano senza cibo e protestavano con grande violenza: assalivano le case dei ricchi e i negozi, aggredivano la gente per le strade.
Così, talvolta, gli Imperatori vuotavano le casse dello Stato per sfamare la plebe, senza tuttavia riuscire a risolvere il vero problema della società romana: la grande povertà dei numerosissimi poveri e la grande ricchezza dei pochi ricchi.

2. ***Gratis:*** gratuitamente, senza pagamento o senza compenso. Questo termine, che deriva dal latino *gratia*, è molto usato soprattutto nel linguaggio parlato.

3. ***Gladiatore:*** i gladiatori erano schiavi o, più raramente, volontari che venivano mantenuti dallo Stato o dalle famiglie più ricche per combattere negli spettacoli del circo.

Paquio Proculo e sua moglie (affresco pompeiano). La famiglia romana non comprendeva soltanto la moglie e i figli, ma anche nuore, generi, nipoti e gli schiavi, tutti posti sotto l'autorità del pater familias.

Il *pater familias* è il vero padrone

La famiglia è alla base della società romana. Il capo di essa è il *pater familias* (padre di famiglia) il quale ha una forte autorità sulla moglie e sui figli che solo lui ha il potere di «riconoscere» e che può condannare a morte.
La nascita di un Romano non è solo un fatto naturale. A Roma appena un bambino nasce il padre può scegliere di sollevarlo da terra e dimostrare così che è suo e che lo alleverà, oppure non sollevarlo e lasciare che venga messo fuori dalla porta di casa dove morirà o verrà raccolto da altri.
Il *pater familias* è il proprietario assoluto del patrimonio familiare.
Adolescente o adulto, sposato o no, un figlio resta sotto l'autorità del padre, il vero padrone di tutto (anche di quello che i figli guadagnano o ereditano); diventa romano a pieno titolo, a sua volta padre di famiglia, solo alla morte del proprio padre.
Il padre di famiglia è inoltre il padrone degli schiavi e il protettore dei liberti e dei clienti[1], si occupa della direzione della casa, la mattina dà gli ordini agli schiavi e pensa alle spese quotidiane. Solo rare volte la cura della casa veniva affidata alla donna la quale nelle famiglie ricche non aveva proprio niente da fare; veniva perfino vestita dalle schiave che la seguivano sempre, in casa e fuori. Le ricche signore romane non avevano una posizione di privilegio all'interno della famiglia. Le ragazze a dodici anni lasciano la scuola ed entrano nella «prigione» domestica della casa paterna. Vivono lavorando la lana e sono controllate dalle schiave. Le donne passeranno poi sotto l'autorità del marito.
L'unico aspetto del diritto romano favorevole alla donna era la sua parità con gli uomini quanto a diritti di successione e al possesso di ricchezze proprie che non passano al marito. Accadeva così, anche se raramente, che certe signore, più nobili e più ricche dei mariti, ne rifiutavano l'autorità e avevano addirittura una propria «clientela» ereditata con i beni della famiglia. Se poi una donna che ereditava tutti i beni per la morte del padre era vedova o divorziata, diventava «madre di famiglia». E questo *pater familias* al femminile era una vera padrona, libera e indipendente, e godeva della migliore condizione femminile che si potesse avere a Roma.

1. Vedi lettura successiva.

Schiavi, liberti, clienti

Il popolo romano, specialmente dopo la conquista del Mediterraneo, ebbe moltissimi schiavi. Essi erano prigionieri di guerra, ma anche bambini abbandonati e uomini liberi venduti come schiavi. Tutti i bambini che nascevano da una schiava, chiunque fosse il padre, erano proprietà del padrone, come i piccoli delle sue bestie; il padrone poteva decidere di allevarli in casa o di lasciarli nelle mani dei mercanti[1] di schiavi o anche di ucciderli. Così il numero degli schiavi era sempre molto alto e in città venivano occupati nelle attività più diverse. In casa i meno istruiti svolgevano i lavori domestici, i più istruiti insegnavano a leggere e a scrivere ai figli del padrone o addirittura amministravano i suoi beni.
Molti lavoravano nelle botteghe degli artigiani come falegnami, orafi, sarti, ma c'erano anche schiavi che facevano gli attori, i medici, gli architetti. Più dura era la vita degli schiavi che lavoravano in campagna dove dovevano fare lavori faticosi, con punizioni molto severe. Più dura ancora la vita degli schiavi che lavoravano nelle miniere e che erano di solito i più ribelli.
Comunque in città o in campagna, maestro o pastore, lo schiavo è un uomo che in qualunque momento può essere venduto, picchiato, torturato, condannato a morte dal proprio padrone. Lo schiavo può anche ricevere dei premi fra i quali il più grande è la libertà.
Lo schiavo che ottiene la libertà si chiama «liberto»; non ha gli stessi diritti degli altri cittadini, infatti non può avere cariche pubbliche, né fare il soldato, né sposare una persona libera, ma nessuno ha più diritto di vita e di morte su di lui e i suoi figli saranno veri cittadini romani.
I liberti in genere non vivono nella casa dell'antico padrone e diventano per la maggior parte commercianti o artigiani abbastanza ricchi. Tuttavia i vecchi schiavi mantengono legami di «clientelismo» verso il padrone e, come i clienti, vanno la mattina alla casa del *pater familias* per salutarlo e spesso pranzano con lui.
Un Romano ricco e potente ha alcune decine, a volte alcune centinaia di clienti che sono uomini liberi che fanno la corte al padre di famiglia e dichiarano a tutti di essere i suoi «clienti».
Fra i clienti ci sono dei poveri che hanno bisogno della mancia quotidiana (*sportula*) del protettore per comprarsi da mangiare, ma anche ricchi uomini d'affari che sperano che il protettore li aiuterà a fare carriera politica o ad arricchirsi ancora di più.

1. ***Mercante:*** commerciante, negoziante, trafficante. Il termine si usa soprattutto per indicare i commercianti dei secoli passati.
È di uso comune l'espressione idiomatica «Fare orecchie da mercante» che significa far finta di non sentire.

Giovane patrizia che versa profumo in una boccetta. Una delle principali occupazioni delle patrizie romane era quella di farsi belle. Schiave specializzate a pettinare, ad applicare trucchi, ad eseguire massaggi ecc. aiutavano la padrona.

A tavola con i Romani

I Romani antichi, popolo di agricoltori, si nutrivano di cibi poveri: zuppe di legumi, verdure fresche, cipolle, formaggio, pochissima carne, pane.
Il pane dell'antica Roma era basso e duro, non lievitato[1]: si cuoceva nella cenere calda e si bagnava nel latte prima di mangiarlo.
La bevanda più antica era latte con acqua; il vino fu diffuso più tardi.
Un notevole cambiamento nel modo di mangiare ci fu verso il 300 a.C., quando a Roma si conobbe la civiltà greca. Sulle tavole dei ricchi cominciarono ad arrivare buone quantità di carne, pesce e salse oltre a frutti secchi come le mandorle e le noci. Con la fine della Repubblica e l'inizio dell'Impero si arrivò addirittura ad importare alimenti di lusso come le ostriche[2] che arrivavano dalla Britannia.
I Romani mangiavano normalmente tre volte al giorno. La colazione del mattino si faceva molto presto, poiché i Romani si alzavano all'alba o poco dopo, per sfruttare il più possibile la luce del sole; si mangiava pane, formaggio, miele, frutta secca e si beveva latte.
A mezzogiorno c'era il *prandium* che si faceva in piedi come la colazione.
Si mangiava ancora pane, formaggio e cibi cotti avanzati dalla cena della sera precedente; si beveva vino con acqua calda e miele.
La cena era il pasto più importante: cominciava prima del tramonto del sole e durava circa tre ore. Spesso, specialmente nelle famiglie ricche, la cena si trasformava in un vero e proprio banchetto (*convivium*), cioè in una grande cena festosa con ospiti, molto vino e talvolta anche musica. Durante i banchetti si mangiava stando stesi sui *lecti triclinares*, letti particolari che stavano nella sala da pranzo, intorno alla tavola dove si metteva il cibo, già tagliato in piccoli pezzi.
Prima c'erano gli antipasti: tonno salato, ostriche, olive e uova con salse, poi la cena vera e propria con grandissima varietà di cibi: carne di bue, di maiale, di agnello[3], galline e uccelli di ogni specie, pesci, funghi, tutto accompagnato da salse complicate dove si mescolavano gusti diversi. La carne, che aveva poco sapore perché veniva bollita prima di essere arrostita, si serviva in genere con lo zucchero.
Dopo aver molto mangiato si beveva e cominciava la parte più piacevole della cena. Il vino, piuttosto dolce, era sempre mescolato ad acqua calda. Talvolta si beveva fino all'alba e questa era la vera festa. Padroni di casa e ospiti avevano fiori nei capelli ed il corpo ricoperto di olio profumato; c'erano musiche, balli e canti.
Si parlava piacevolmente di cose personali, ma anche di filosofia e di politica, così nel banchetto si svolgeva parte della vita sociale dei Romani.

1. ***Lievitato:*** da lievitare. Aumentare di volume per effetto del lievito, una sostanza capace di provocare una fermentazione.
2. ***Ostrica:*** mollusco pregiato dal punto di vista culinario.
3. ***Agnello:*** il piccolo della pecora che non ha ancora un anno.

Certo non mancavano gli eccessi, tanto che i Romani del periodo imperiale sono passati alla storia come gente che mangiava e beveva in modo esagerato. Ma non possiamo pensare che le cene fossero tutte come quella di Trimalchione, descritta da Petronio nel suo *Satyricon* dove il numero dei piatti è incredibile e gli ospiti mangiano fino a stare male. Scopo dello scrittore, vissuto ai tempi dell'Imperatore Nerone, è infatti quello di mettere in evidenza la grande volgarità di Trimalchione, nuovo ricco, rozzo e senza cultura.

Scene di convito (affreschi pompeiani). I ricchi Romani passavano lunghe serate a gustare i raffinati piaceri della tavola e della compagnia. I banchetti erano spesso ricchissimi. Danzatori, suonatori e giocolieri tenevano compagnia agli invitati.

Poeti e artisti nella Roma imperiale

Lo sviluppo delle arti e delle lettere era iniziato a Roma prima dell'età imperiale soprattutto quando Roma, conquistata la Grecia, venne in contatto con la civiltà di quella terra.
Negli ultimi anni della Repubblica erano vissuti alcuni dei maggiori autori della letteratura latina.
Sallustio[1] fu storico e narratore di grande vivacità.
Catullo è stato il poeta latino più moderno e forse l'unico poeta veramente lirico della letteratura latina; bellissime, semplici e spontanee sono le sue poesie d'amore.
Ricordiamo inoltre Lucrezio, autore del poema *De rerum natura* e il grande oratore Cicerone.
Lo stesso Imperatore Augusto fu scrittore e protettore di poeti e artisti i quali ricambiarono i suoi favori esaltando la grandezza di Augusto stesso, padre della pace, la grandezza delle origini di Roma e del suo destino futuro. Chi teneva i rapporti con scrittori e artisti vari, li toglieva dalla miseria e faceva loro eleganti regali era Mecenate, l'amico più fedele di Augusto e suo consigliere per cinquanta anni.
Quest'uomo, di origine etrusca, fu un intellettuale sensibile ed affascinante a cui, più che allo stesso Augusto, gli artisti del tempo furono assai legati. Il termine «mecenatismo» indica anche oggi la protezione degli artisti.
Fra i principali poeti del periodo augusteo è da ricordare Virgilio, autore dell'Eneide, poema in cui narra con le vicende di Enea le illustri origini di Roma e della gente Giulia a cui Augusto apparteneva.
Orazio è un altro grandissimo poeta, molto legato a Mecenate; bellissime le sue Satire in cui vengono cantate le gioie semplici di una vita onesta e modesta, la famosa *mediocritas* oraziana.
Fu spesso ospite del palazzo di Augusto anche Tito Livio autore di una Storia di Roma che dalle origini doveva arrivare all'Impero, ma che rimase interrotta per la morte dell'autore.
C'è nella storia di Tito Livio un sincero amore di patria per il quale esalta tutte le antiche virtù romane come il coraggio, il valore, l'onestà ecc.
Le opere degli architetti, scultori e pittori dell'epoca sono per lo più caratterizzate dal senso pratico e dal realismo tipico della mentalità romana. Si costruirono molti edifici di pubblica utilità come ponti e acquedotti, e poi teatri, anfiteatri, templi.
Nelle pitture delle pareti (bellissime sono le pitture che possiamo vedere negli scavi di Pompei, presso Napoli, la cittadina distrutta da un'eruzione del Vesuvio nel 79 a.C.) e nei mosaici[2] dei pavimenti sono raffigurate scene della vita di tutti i giorni.
Le sculture rappresentano personaggi dell'epoca; numerose sono le statue di Augusto che servivano all'Imperatore anche per la propaganda personale.

1. Sallustio (86 - 35 a.C.) - Catullo (87 - 54 a.C.) - Lucrezio (96 - 53 a.C.) - Cicerone (106 - 43 a.C.) - Virgilio (70 - 19 a.C.) - Orazio (65 - 8 a.C.) - Livio (59 a.C. - 17 d.C.).
2. ***Mosaico:*** il mosaico è una tecnica pittorica fondata sull'impiego di piccoli elementi (tessere) applicati ad una superficie.
Del mondo romano sono famosissimi i mosaici della villa di Piazza Armerina (Enna). Occupano quasi 4000 mq e per la loro bellezza sono considerati l'ottava meraviglia archeologica.

Mosaico del pavimento di una villa romana.

Un nemico sconosciuto mette in crisi l'Impero

Tutti sanno che l'Impero Romano ebbe molti problemi e molti nemici contro cui combattere. Anche l'Imperatore Marco Aurelio[1] che pure amava la pace ed era filosofo e scrittore, dovette combattere continue guerre. Vinse i Parti a Oriente e i Germani in Europa, ma fu vinto da un nemico che nessuno nel mondo antico conosceva: la peste. L'epidemia fu molto violenta.

I primi ad ammalarsi furono, nella seconda metà del II secolo, i soldati romani che combattevano contro i Parti. Poi, per gli spostamenti delle legioni, i contatti dei soldati con le donne e i mercanti, l'epidemia si diffuse rapidamente in Italia, in Spagna, in Francia.

Si calcola che circa la metà della popolazione dell'Impero morì per questa terribile malattia. Quando si ammalò l'Imperatore, il medico di corte, il grande Galeno, non trovò altro rimedio che chiedere aiuto al dio della medicina Esculapio e poi fuggire. La peste provocò nell'Impero una gravissima crisi. Morirono milioni di lavoratori e ci fu un fortissimo aumento dei prezzi, le plebi cittadine erano continuamente affamate. Intanto le popolazioni che vivevano al di là delle frontiere d'Europa e dell'Oriente cercavano in tutti i modi di penetrare nelle terre dell'Impero e perciò occorrevano uomini e mezzi sempre più numerosi per la difesa dei confini.

Vi furono alcuni Imperatori, forti ed esperti nell'arte militare, come Claudio ed Aureliano, che riuscirono a respingere i nemici. Diocleziano poi dette una nuova organizzazione a tutta l'amministrazione dello Stato e Costantino rafforzò il potere imperiale concedendo libertà di culto[2] ai cristiani.

Ma con tutto ciò i grossi problemi dell'Impero non erano risolti. Per difendere i confini c'era bisogno di un esercito enorme così come per l'amministrazione c'era bisogno di un'enorme quantità di impiegati; per mantenere esercito e funzionari c'era bisogno di far pagare tasse sempre più alte alla popolazione.

A pagare però erano sempre i soliti cioè i lavoratori più poveri, contadini soprattutto.

Così nel III e IV sec. esplose di nuovo il problema dei debiti.

Molto spesso i piccoli contadini per pagare le tasse facevano debiti con i grandi proprietari e offrivano in cambio il proprio lavoro legandosi così per sempre a quei proprietari e a quella terra.

La legge stabilì poi che i contadini non avevano in nessun caso la libertà di lasciare il campo, trasformando degli uomini liberi in «servi della gleba».

Intanto era migliorata la condizione degli schiavi che in campagna talvolta coltivavano con una certa autonomia un podere e vivevano con la propria famiglia. Si ebbero così uomini liberi quasi schiavi e schiavi quasi liberi.

1. Marco Aurelio (161 - 180 d.C.) - Diocleziano (284 - 305 d.C.) - Costantino (306 - 337 d.C.) - Teodosio (387 - 395 d.C.)

2. ***Culto:*** insieme delle usanze e degli atti per mezzo dei quali si esprime il sentimento religioso. Atti e riti variano nelle diverse religioni.

Con Teodosio l'Impero fu diviso in due parti, l'Oriente e l'Occidente, affidate a due Imperatori diversi, ma ormai, specialmente in Occidente, non c'era possibilità di recupero: la povertà delle terre dell'Impero era troppo grande, la società romana troppo lontana dai suoi antichi valori, i barbari troppo forti e decisi ad arrivare a Roma.
E a Roma i barbari (Visigoti) arriveranno nel 410 e la saccheggeranno[3]. Poco dopo, nel 476, avrà fine del tutto l'Impero Romano d'Occidente.

3. ***Saccheggiare:*** appropriarsi in modo violento dei beni altrui. L'azione è riferita soprattutto agli eserciti nei territori nemici, ma lo stesso verbo si usa anche come sinonimo di rapinare, derubare.

Tre degli Imperatori del periodo della decadenza.

Il Cristianesimo

Quando Gesù fu crocifisso nella lontana provincia della Giudea, a Roma, dove era Imperatore Tiberio, nessuno seppe nulla di quella morte come non aveva saputo nulla di quella vita breve ed eccezionale. I suoi seguaci non erano molti, neppure in Palestina, ma ben presto essi crearono delle comunità cristiane in quasi tutto il Mediterraneo. In un primo tempo i discepoli[1] cercavano seguaci solo fra gli Ebrei, ma presto, soprattutto per opera di Paolo di Tarso, si rivolsero al mondo pagano e lo stesso Paolo diffuse la parola di Gesù a Roma.
Le comunità cristiane furono prima associazioni di povera gente, ma nel II sec. cominciarono a farne parte anche persone che appartenevano a classi sociali più alte. Erano vere comunità (Chiese) dove ci si aiutava come fratelli ed i beni posseduti dai singoli servivano per i bisogni di tutti; a capo di esse c'erano i vescovi.
I cristiani delle chiese si riunivano la sera della domenica, pregavano e cenavano insieme in casa dei più ricchi ricordando l'ultima cena di Gesù con gli apostoli.
Gesù aveva detto che non vi era nessuna differenza tra Giudei e Romani, tra ricchi e poveri, tra liberi e schiavi; ma aveva anche detto «date a Cesare quello che è di Cesare» insegnando ai suoi fedeli a rispettare le leggi dello Stato e l'autorità dell'Imperatore.
I cristiani pertanto pagavano le tasse e si comportavano come buoni cittadini, ma si rifiutavano di adorare l'Imperatore come un dio e di partecipare alle cerimonie pagane.
Lo Stato romano che era stato sempre tollerante verso le altre religioni vide nei fedeli di Gesù un pericolo, poiché non rispettavano le tradizioni e non riconoscevano l'autorità divina dell'Imperatore. Cominciarono così le persecuzioni e molti cristiani verranno condannati a morte dalle autorità romane fino

1. ***Discepolo:*** chi studia con un determinato maestro e ne segue e diffonde le idee. Si dicono discepoli quelli che furono i primi e più fedeli seguaci di Gesù.

Masaccio, Il tributo (1425). L'affresco si trova a Firenze nella Chiesa del Carmine. La scena narra l'episodio della tassa che Gesù dovette pagare per entrare nella città di Cafarnao.

a che l'Imperatore Costantino, nel 313, riconoscerà ai cristiani la libertà di culto.
La prima persecuzione fu ordinata dall'Imperatore Nerone il quale accusava i cristiani di aver provocato l'incendio di Roma di cui lui stesso era sospettato di essere l'autore; ne furono vittime anche gli apostoli Pietro e Paolo.
Durante le persecuzioni i cristiani si nascondevano nelle case di alcuni fedeli che avevano una posizione sociale elevata e che perciò sfuggivano più facilmente ai controlli. Seppellivano i loro morti e martiri (coloro cioè che avevano accettato di morire fra pene tremende piuttosto che negare di essere fedeli di Gesù) in cimiteri sotterranei chiamati catacombe.
Le catacombe, scavate dal II al IV sec., si estendono intorno a Roma, per circa 100-150 Km. Le principali sono quelle di San Callisto e di San Sebastiano sulla via Appia, quelle di Domitilla sulla via Ardeatina, quelle di Santa Priscilla sulla via Salaria. Sono costituite da gallerie sotterranee scavate per lo più nel tufo, senza un ordine preciso. Nelle pareti, da tutti e due i lati, ci sono i loculi[2] dove venivano messi i corpi dei morti. Si trovano nelle catacombe molte belle pitture con scene del Vecchio e del Nuovo Testamento e tutti i simboli delle Chiese primitive: la vite, l'olivo, l'agnello, i pesci.

2. ***Loculo:*** vano scavato in una parete o creato con una muratura, destinato alla sepoltura di un solo corpo.

Ambrogio Lorenzetti, Il Buon governo (1330-1340). L'affresco si trova a Siena, nel Palazzo pubblico. ►

Parte II

Arrivano i barbari

Oltre i confini europei dell'Impero Romano vivevano le popolazioni germaniche divise in varie tribù (Alamanni, Franchi, Vandali, Ostrogoti, Visigoti, ecc.) ed altre popolazioni come i Longobardi, gli Slavi, gli Unni. Tutte venivano indicate dai Romani con il generico nome di barbari, cioè non romani.
Cesare, nel suo libro sulla guerra gallica, descrive i Germani come un popolo ancora primitivo che viveva per lo più di caccia ed amava le armi e la guerra. Ma, circa un secolo e mezzo dopo, Tacito[1] li descrive come uomini dai costumi semplici e forti che hanno una sede fissa anche se non hanno città, ma solo villaggi, e non sono molto abili nelle costruzioni. Sono invece abilissimi nella lavorazione dei metalli e in particolare delle armi anche perché la guerra continua ad essere l'occupazione più importante ed amata dai Germani. I giovani, se la propria tribù vive in pace troppo a lungo, vanno a stare presso altre tribù che sono in guerra. Le donne «vivono ritirate e pudiche, non invitate a spettacoli o a banchetti».[2]
Già dal II sec. d.C. queste popolazioni avevano cominciato a premere sui confini dell'Impero Romano e gli Imperatori avevano preso vari provvedimenti. Molti giovani barbari erano stati accettati nell'esercito romano poiché si pensava che era meglio avere buoni rapporti con questa gente che conosceva così bene l'uso delle armi. Nel V sec. poi i barbari invasero l'Occidente e arrivarono fino a Roma. In Italia vennero prima i Visigoti, dopo gli Unni guidati dal feroce Attila, i Vandali e infine gli Ostrogoti. Il Re degli Ostrogoti, Teodorico, vinse Odoacre[3] e, sistemato il suo popolo nell'Italia settentrionale, fu di fatto, per trenta anni (493-526), Re d'Italia. ←
Intelligente e saggio Teodorico rispettò in gran parte gli ordinamenti romani e cercò di mantenere la maggiore uguaglianza possibile fra Goti e Romani. Amava le arti e lo dimostrano gli splendidi monumenti fatti costruire a Ravenna, capitale del suo Regno: Santo Apollinare Nuovo, il Mausoleo...
L'anno dopo la morte di Teodorico divenne Imperatore d'Oriente il grande Giustiniano che volle ridare unità all'Impero con la conquista dell'Occidente. La guerra contro gli Ostrogoti in Italia durò diciotto anni e portò la penisola a condizioni di grande miseria. Alla fine gli Ostrogoti furono sconfitti e Ravenna divenne la capitale del Regno bizantino[4] in Italia.
Nel 568 altri barbari, i Longobardi, arrivarono da Nord e occuparono gran parte dell'Italia centrale e meridionale, ma non riuscirono a togliere ai Bizantini i luoghi che potevano essere difesi per mare come Napoli, Roma, Ravenna. I territori italiani dominati dai Longobardi furono chiamati Longobardia e Romania si chiamarono i territori rimasti all'Impero Romano d'Oriente. Nacque così la divisione politica dell'Italia che avrà fine solo nel sec. XIX.

1. ***Tacito:*** storico romano, nacque intorno al 54 e morì fra il 117 e il 120. Le sue opere più importanti sono *De origine, situ, moribus Germanorum*, le *Historiae*, gli *Annales*. Il suo metodo storiografico privilegia l'individuo e la sua tecnica descrittiva arriva alla caratterizzazione dei personaggi mostrandone le azioni, gli atteggiamenti, il modo di muoversi e di parlare. La sua interpretazione della realtà storica e del comportamento dell'uomo è problematica e pessimistica.
2. *De origine, situ, moribus Germanorum*, XIX.
3. ***Odoacre:*** capo dei barbari Eruli, nel 476 aveva deposto il giovanissimo Imperatore Romolo Augustolo ed aveva governato l'Italia con il titolo di «patrizio romano», ma di fatto come un Re, anche perché i barbari non conoscevano altra forma di governo che la Monarchia.
4. Si attribuisce l'aggettivo bizantino a tutto ciò che riguarda l'Impero Romano d'Oriente, poiché Bisanzio o Costantinopoli si chiamava la sua capitale.
In senso figurato il termine si usa per indicare qualcosa di molto raffinato e ricco poiché raffinata e ricca era l'antica Bisanzio.

L'Imperatore Giustiniano. Particolare di uno dei bellissimi mosaici della Chiesa di San Vitale, a Ravenna.

Monaci e Papi nell'Italia abbandonata

La Chiesa cristiana già verso la fine del sec. IV godeva di un grande prestigio; con la decadenza dell'Impero e le invasioni barbariche essa svolse anche un'importante funzione di protezione a favore delle popolazioni indifese.
Il Papa Leone I incontrò personalmente Attila, capo degli Unni, detto *flagellum Dei*, e Genserico, capo dei Vandali per cercare di proteggere la città di Roma, già molto decaduta non essendo più la capitale dell'Impero. La lunga guerra che poi Giustiniano combatté contro gli Ostrogoti ridusse l'Italia in condizioni di grande miseria né la situazione migliorò con l'arrivo dei Longobardi. Il commercio, ancora molto attivo durante il Regno di Teodorico, cessò del tutto nell'Italia longobarda. L'unica attività di rilievo fu quella agricola, ma ogni proprietà (*curtis*), con la villa del padrone, la casa dei servi, i poderi dei contadini, divenne a poco a poco un centro di vita economica autonoma (economia curtense). Nelle *curtis* si produceva tutto ciò che serviva, nulla di meno e nulla di più.
Non ci furono più rapporti fra una *curtis* e l'altra sia perché non c'erano prodotti da scambiare sia perché le strade, con i soldati e il gran numero di poveri in cerca di cibo, non erano tanto sicure. Anche gli scambi tra città e campagna erano rari e rari erano i mercati che si facevano presso le chiese. Le città erano quasi deserte e la popolazione rimasta, indebolita dalla fame, veniva facilmente colpita da malattie mortali.
In questa drammatica situazione la Chiesa acquistò ancora più importanza e i monasteri accolsero tra le loro mura gli affamati e gli oppressi. Nel 529 Benedetto, nato a Norcia in Umbria, dopo aver a lungo pregato in solitudine, fondò a Montecassino (Frosinone) un monastero. Lì la sua vita e quella dei monaci che lo avevano seguito era organizzata secondo una «Regola», da lui stesso scritta, che si riassume nel famoso detto *ora et labora* (prega e lavora). Il monastero doveva avere terra sufficiente perché i monaci potessero vivere dei suoi frutti, senza avere bisogno di aiuto da nessuno e senza rattristarsi di fare loro stessi i contadini, «... perché allora veramente sono monaci, quando vivono del lavoro delle loro mani, come i padri nostri e gli apostoli...»[1].
Secondo la «Regola» una parte della giornata doveva essere dedicata alla lettura. Così i monasteri ebbero una biblioteca e i monaci si dedicarono a quella importantissima attività di copiatura senza la quale testi sacri e testi degli antichi scrittori pagani (Virgilio, Cicerone, Livio ecc.), scritti a mano, di solito su fogli di carta pergamena[2], sarebbero andati perduti. Molto spesso i monaci copisti facevano la lettera iniziale di una pagina o di un capitolo molto più grande delle altre; al suo interno, con grande abilità, disegnavano delle piccole figure dette «miniature»[3]. Oggi possiamo ammirare molti manoscritti di quell'epoca con splendide miniature in oro e colori vivaci che rappresentano i monaci stessi sempre occupati in qualche lavoro,

1. Dalla «Regola» di San Benedetto.
2. ***Pergamena:*** la carta pergamena, detta anche cartapecora, si otteneva con pelle di agnello o di pecora che veniva rasata e lavorata in modo speciale per avere un foglio sottile e liscio su cui si poteva scrivere. Il nome di «pergamena» deriva dalla città di Pergamo dove, fin dal II sec. a.C. si cominciò a fabbricare questa carta.
3. ***Miniatura:*** il termine deriva dalla polvere di colore rosso vivo o «minio», usato dai copisti più degli altri colori. Oggi si usa l'espressione «in miniatura» per indicare qualcosa che si presenta in proporzioni alquanto ridotte. Es. giardino in miniatura, castello in miniatura, ecc.

San Benedetto consegna la sua Regola all'abate Giovanni (miniatura antica).

o scene di vita dei castelli. Sono esse preziose fonti storiche.
Il Papa intanto appariva sempre più non solo la più grande autorità religiosa, ma anche l'unico potere che poteva opporsi ai barbari e a cui ci si poteva rivolgere per chiedere aiuto.
Gregorio Magno, monaco benedettino che fu Papa dal 590 al 604, cercò di tenere lontani i Longobardi da Roma, usò i beni della sua famiglia per aiutare i poveri, i profughi, gli ammalati. Egli non fu solo un Papa grande e generoso, ma anche un uomo molto colto. Introdusse nei riti religiosi regole ben precise di canto, che da lui prese il nome di «canto gregoriano». Questo canto fu usato soprattutto nei monasteri benedettini. Un altro benedettino, Guido d'Arezzo, vissuto nel sec. XI, inventerà le note musicali dalle quali è nato tutto il sistema moderno di scrittura della musica.

Croce e spada unite

I Franchi che già nel IV sec. si erano stabiliti nel territorio della Gallia settentrionale, dopo la fine dell'Impero Romano d'Occidente, ebbero un capo abile e valoroso, Clodoveo. Egli, in poco tempo, si impadronì di tutta la Gallia e fece una scelta di grande importanza per il futuro del suo popolo: divenne cattolico insieme a tutta la sua gente conquistando in tal modo le simpatie del Papa. Quando i Longobardi cercarono di impadronirsi dei territori bizantini fra i quali la stessa Roma, di fatto amministrata dalla Chiesa, il Papa Stefano II chiese aiuto al capo dei Franchi Pipino, detto il Breve per la sua bassa statura.

Pipino, da buon cattolico difensore della fede, scese due volte in Italia, vinse i Longobardi e li costrinse a lasciare il Ducato di Roma, la Romagna, le cinque città di Fano, Senigallia, Ancona, Pesaro e Rimini. Poiché i Bizantini, impegnati a combattere gli Arabi a Costantinopoli, non potevano difendere le loro terre in Italia, Pipino fu libero di donare al Papa nel 756 tutti i territori vinti ai Longobardi. Nacque così, con la protezione della spada dei Franchi, lo «Stato pontificio» che sarebbe durato fino al 1870.

Il successore di Pipino sarà Carlo Magno, personaggio famosissimo, conosciuto anche dai ragazzi attraverso molte storie e fumetti che si rifanno alla *Chanson de Roland*, il poema che canta le avventure dei coraggiosi cavalieri di Carlo.

Queste storie presentano Carlo Magno come un vecchio saggio e buono, mentre quasi mai fu buono; ai vinti imponeva il battesimo con la forza, in un solo giorno, per vendetta, fece decapitare[1] 4500 Sassoni. Saggio invece lo fu davvero.

Anche se lui stesso non imparò mai bene a leggere e a scrivere[2], credeva nell'importanza della cultura e volle che ci fossero scuole presso i monasteri e le chiese più grandi; nel suo palazzo ad Aquisgrana si incontravano gli uomini più colti dell'Occidente[3].

L'attività più importante di Carlo Magno fu comunque, come per tutti i barbari, la guerra. Prima si impadronì, in Italia, dell'intero Regno dei Longobardi e successivamente riuscì a dominare su gran parte dell'Europa.

L'Impero Romano d'Occidente sembrava risorto. La notte di Natale dell'anno 800, nella Basilica[4] di San Pietro a Roma Carlo fu incoronato[5] Imperatore dal Papa Leone III. Il popolo di Roma chiamò Carlo «Augusto» e «Imperatore romano», ma il nuovo Impero aveva caratteri germanici e non romani; l'unico elemento che univa tutti i suoi abitanti era la religione cattolica.

Nell'Impero di Carlo Magno l'economia fu favorita dalla pace, ma rimase di tipo agrario, con pochi scambi fra una *curtis* e l'altra.

Carlo Magno combatte contro gli Arabi musulmani (Saraceni) insieme ai suoi paladini (miniatura del XIII secolo). Il titolo di «paladino» (derivante dal latino comes palatinus = compagno di palazzo) veniva dato ai più valorosi cavalieri, scelti come consiglieri militari di Carlo Magno. Secondo la tradizione i paladini furono dodici: fra questi il più famoso fu Orlando, che morì a Roncisvalle lottando disperatamente contro i Saraceni.

1. ***Decapitare:*** tagliare il capo.

2. Il monaco sassone Eginardo, che visse alla corte di Carlo Magno e ne raccontò la vita, scrive che «aveva l'abitudine di mettere sotto i cuscini del letto tavolette cerate e pergamene, per esercitarsi a fare le lettere nei momenti di ozio; ma cominciò troppo tardi e i risultati furono scarsi».

3. Anche le arti ebbero grande sviluppo nel periodo carolingio, soprattutto l'architettura, la scultura e la lavorazione dell'oro, capolavoro della quale è l'altare di S. Ambrogio a Milano (sec. IX), bellissimo per le sue figure e le decorazioni di pietre preziose e smalti colorati.

4. ***Basilica:*** era in origine un edificio romano, di pianta rettangolare, destinato all'amministrazione della giustizia; divenne con il Cristianesimo il tipo più comune di edificio destinato al culto religioso. Il termine è passato poi ad indicare una chiesa grande e di particolare importanza.

5. ***Incoronato:*** da incoronare. Cingere di corona come segno di sovranità o di eccellenza.

L'Italia non cambiò in meglio le sue condizioni di vita; sparì del tutto la vivace attività economica e politica di Pavia, che era stata la capitale dei Longobardi, e pure le altre città, già parecchio decadute, divennero ancora più povere e abbandonate. Soltanto a Roma e nei centri bizantini di Napoli, Bari, Salerno si mantenne qualche forma di vita culturale ed economica.

Era nato intanto, sotto i Franchi, quello che sarà l'elemento fondamentale della società del Medio Evo: il feudalesimo con i suoi rapporti di vassallaggio[6].

6. Sotto i Sovrani Franchi, per motivi economici e di sicurezza, alcuni Signori cercarono di mettersi sotto la protezione diretta del Re che avrebbero servito con fedeltà ricevendo in cambio delle terre chiamate «benefico» o «feudo», da cui il nome di «feudatari» e «feudalesimo». Questi Signori divennero «vassalli» del Re e a loro volta affidarono una parte del loro feudo a persone meno ricche e meno importanti che divennero i vassalli dei vassalli o «valvassori», dal latino «vassi vassorum».

La nascita dei Comuni dopo il Mille

Mentre la civiltà romana era stata caratterizzata dalle città dove si svolgeva un'intensa vita politica, economica e culturale, nel Medio Evo, dopo la caduta dell'Impero Romano e le invasioni dei popoli germanici, sono le campagne, dominate dai castelli dei feudatari, i centri di vita economica ed anche politica.
Il feudalesimo italiano si distinse tuttavia da quello degli altri paesi dell'Europa occidentale soprattutto per avere avuto, fin dal sec. XI, molte città[1] che diventeranno in breve ricche, potenti e belle. Qui la gente che contava[2] erano soprattutto mercanti e artigiani; ci vivevano anche alcuni nobili feudatari che avevano abbandonato i propri castelli in campagna.
I cambiamenti positivi che poi si ebbero in tutta l'Europa dopo il Mille fecero rinascere nelle città italiane una vita ricca di attività economiche, culturali e artistiche che porterà alla creazione del «Comune».
La popolazione cittadina era allora divisa in tre classi fondamentali: nobili, borghesi, popolo. I nobili erano feudatari che si erano trasferiti in città, ma avevano conservato l'orgoglio di cavalieri. Si costruivano palazzi con alte torri, cercavano di comandare e conservare i propri privilegi, si organizzavano in associazioni dette «consorterie».
I borghesi erano la classe nuova, formata da mercanti, artigiani, professionisti che non avevano l'orgoglio dei nobili, ma avevano la sicurezza della loro forza economica. Essi crearono delle associazioni fra gli appartenenti ad una stessa professione o mestiere, le famose «Arti» o «Corporazioni» che avranno

1. Erano queste soprattutto nell'Italia settentrionale e in Toscana.
2. Il verbo «contare» ha qui il significato (di uso piuttosto frequente) di «valere», «avere importanza».

Un lavoratore della lana e un calzolaio (dal codice di Heiteborg, secolo XIII). Nella città medievale il centro della vita quotidiana è la strada. La necessità di sfruttare la luce del giorno imponeva infatti agli artigiani di lavorare sulla strada.

grande importanza nella vita economica e politica del tempo.
Il popolo, cioè la massa degli abitanti della città, che viveva di un lavoro dipendente e spesso occasionale, non aveva diritto di associazione.
Ma anche il popolo, come i nobili e i borghesi, voleva vincere il potere del vescovo, capo della città, e dei grandi feudatari della campagna. Così i «cittadini» ottennero, con mezzi più o meno pacifici, di organizzarsi in «Comune», con autonomie che furono prima soprattutto economiche e dopo anche politiche.
Il parlamento o assemblea dei cittadini eleggeva i consoli che, in numero differente nelle varie città, governavano il Comune per un certo periodo, di solito molto breve. Prima i consoli furono scelti fra i nobili, più preparati dei mercanti a fare politica, poi furono eletti anche dei borghesi.
La scelta dei consoli provocò tuttavia delle lotte, talvolta molto violente, tra famiglie e partiti rivali; per questo in molti Comuni i cittadini decisero, prima o dopo, di affidare il governo ad un forestiero (un cittadino di un altro Comune) che fu chiamato podestà, con la speranza che non si lasciasse coinvolgere nelle rivalità interne e fosse perciò un migliore amministratore.
Non sempre fu così e nella vita comunale del sec. XIII non mancarono lotte e guerre. I Comuni ebbero tuttavia in questo periodo un grande sviluppo, riuscirono a conquistare le campagne e a piegare gli orgogliosi feudatari che spesso videro distruggere i loro castelli e liberare i servi della gleba. Nel 1257 il Comune di Bologna con un «Atto» collettivo liberò 6000 servi della gleba del suo territorio e ne pagò il riscatto.

Italia araba e normanna

Dal IX al X sec. molte regioni d'Italia furono terrorizzate dall'arrivo dal mare degli Arabi o Saraceni, come allora venivano chiamati. Arrivavano all'improvviso sulle spiagge, saccheggiavano città e campagne, portavano via gli uomini che riuscivano a fare prigionieri.

Gli Arabi, che avevano rafforzato il proprio dominio in Oriente, in Africa e in Spagna, volevano fare nuove conquiste nel Mediterraneo. Miravano soprattutto alla Sicilia che faceva parte, come gran parte dell'Italia meridionale, dei territori di Bisanzio.

Nel 902 i Bizantini dovettero abbandonare del tutto la Sicilia che rimarrà per due secoli sotto gli Arabi i quali ne fecero una terra ricca e sviluppata, anche dal punto di vista culturale ed artistico.

L'isola tornò ad essere, come nell'antichità, il centro dei commerci fra Africa ed Europa, Oriente ed Occidente.

Gli Arabi erano abili in molte cose come la matematica, l'astronomia[1], l'ingegneria, l'agricoltura. Con ottimi sistemi di irrigazione, resero possibile la coltivazione degli agrumi[2] che loro stessi avevano fatto conoscere ai Siciliani. Molte parole del vocabolario italiano derivano dall'arabo; sono soprattutto termini matematici (algebra, zero, cifra), chimici (alambicco, elisir), musicali (liuto, tamburo), ma anche parole di uso quotidiano come tazza e zucchero.

Agli inizi del sec. XI gruppi di Normanni, cioè uomini del Nord come li chiamavano gli Europei poiché provenivano dalla Scandinavia, cominciarono ad arrivare nell'Italia meridionale come soldati mercenari[3] dei Longobardi o dei Bizantini che ancora dominavano quelle terre. In cambio dei loro servizi non chiedevano denaro, ma terreni e in poco tempo divennero proprietari di ducati e contee.

Ebbero anche l'appoggio del Papa il quale non vedeva bene la presenza dei Bizantini in Puglia né, tanto meno, quella degli infedeli Saraceni in Sicilia. Nel 1091, dopo trenta anni di guerra, i Normanni condotti da Ruggero di Altavilla, riuscirono a cacciare gli Arabi dalla Sicilia. «Quest'anno – scriveva un cronista arabo – i Normanni, che Iddio li maledica, si impadronirono della Sicilia, che il sommo Iddio la renda all'Islam e ai musulmani». Ma il dominio arabo della Sicilia era finito per sempre.

Intanto un altro abile guerriero normanno aveva cacciato i Bizantini dalle Puglie e nel 1131 Ruggero II di Altavilla divenne il Signore di tutta l'Italia meridionale con il titolo di Re di Puglia e di Sicilia.

Ruggero e i suoi successori furono sovrani molto saggi che si servirono delle precedenti istituzioni e di uomini di governo, oltre che normanni anche bizantini e arabi, riuscendo a creare uno Stato ricco e ben organizzato. Furono tolleranti nei confronti delle varie religioni; ciò favorì lo sviluppo della cultura e

1. ***Astronomia:*** studio scientifico dei corpi celesti (stelle, satelliti, ecc.) e dei fenomeni ad essi relativi.

2. ***Agrume:*** si indicano con questo termine le piante appartenenti al genere detto *citrus* e i loro frutti succosi e dal sapore più o meno agro. Le più coltivate in Italia (soprattutto in Sicilia e in Calabria) sono il limone, l'arancio, il mandarino, il bergamotto, il cedro, il pompelmo.

3. ***Mercenario:*** chi presta la propria opera per denaro.

Il chiostro del convento di Monreale (Palermo).

di quella originale arte arabo-normanna che possiamo ammirare a Palermo, «città di tutte le bellezze». Fra i capolavori dell'arte arabo-normanna ricordiamo la Chiesa di San Giovanni degli Eremiti, il Palazzo della Zisa, la Cappella Palatina, ma soprattutto il Duomo di Monreale. Questa bellissima chiesa, con la sua felice sintesi di stili, è un po' il simbolo di una terra in cui ci sono state tante diverse popolazioni e culture.

Lo Stato normanno durerà appena un secolo. Nel 1190 salirà sul trono di Palermo Enrico VI di Svevia, figlio dell'Imperatore Federico I e marito di Costanza di Altavilla, ultima erede dei Sovrani normanni.

Le città marinare

Il mare, eterno mezzo di contatti umani, è stato un elemento importante nella storia italiana.
E non è un caso se fra i centri più attivi della ripresa economica e commerciale attorno all'anno Mille vi furono le città marinare di Amalfi, Pisa, Genova, Venezia, che prima di altre si dettero ordinamenti autonomi e divennero poi addirittura Stati sovrani.
Ebbero storie diverse, ma tutte si dedicarono alla navigazione e al commercio con l'Oriente.
Le navi cariche di merci orientali arrivavano ai loro porti; da lì stoffe, spezie e pietre preziose venivano trasportate e vendute all'interno dell'Europa facendo arricchire molti mercanti.

Venezia nel XV secolo. Già nel secolo XIII Venezia era una delle più prospere città d'Europa. Essa aveva praticamente in mano tutto il commercio dei pregiati prodotti d'Oriente con i quali, fino alla scoperta dell'America, si arricchì moltissimo.

Le Repubbliche marinare tuttavia non ebbero solo una funzione economica, bensì anche culturale. In un mondo ancora chiuso ed isolato esse stabilirono dei contatti fissi con l'Oriente e con la sua civiltà.

Gli abitanti di queste città possedevano inoltre, rispetto alle scarse conoscenze del momento, una non trascurabile abilità nella navigazione e nella costruzione delle navi.

I mercanti italiani del sec. XIII saranno stimati in tutto il mondo per la loro ricchezza, la loro abilità nell'uso delle monete e della scrittura, tanto da trasformarsi talvolta in consiglieri dei Principi. Marco Polo, mercante veneziano che ci ha lasciato le memorie dei suoi viaggi nel celebre libro «Il Milione», visse per diciassette anni in Asia alla corte del Gran Khan di cui fu amministratore e ambasciatore.

Nell'Europa della fine del sec. XI le città marinare italiane erano dunque un'eccezione. Un cronista dell'epoca, essendosi trovato a Venezia, si meravigliava molto che ci fosse al mondo una città dove la gente non seminava e non raccoglieva il grano.

La città di Amalfi raggiunse per prima una notevole potenza; nel sec. X le sue navi già toccavano i porti musulmani e bizantini, ma quando i Normanni divennero sovrani di tutta l'Italia meridionale essa decadde rapidamente.

Pisa e Genova, che in un primo tempo avevano stretto un'alleanza, si arricchirono[1] facendo commerci nel Mediterraneo occidentale; poi, approfittando dell'occasione offerta dalla prima Crociata[2], anche in quello orientale. Quando le due città divennero rivali fu Pisa a perdere[3] e per la città toscana fu la fine.

Le fortune di Genova durarono ancora a lungo. Con le sue case a più piani, per le quali fu chiamata la «superba» Genova aveva, agli inizi del 1300, un numero di abitanti altissimo rispetto a tutto l'Occidente europeo. Ma nel momento in cui gli interessi dei mercanti genovesi si scontreranno con quelli dei mercanti di Venezia, che già da tempo commerciavano liberamente nei territori bizantini, sarà di nuovo guerra. Questa volta a perdere sarà Genova che insieme alla guerra perderà rapidamente anche la sua potenza commerciale e politica.

Venezia rimarrà così la sola Signora dei mari ed avrà uno sviluppo costante, dovuto anche ad una situazione politica interna alquanto stabile. Con il suo governo di aristocratici saggi e ben preparati, nel 1400 la Repubblica di S. Marco sarà ancora uno degli Stati[4] più potenti della penisola italiana.

1. Ricordiamo che le entrate di una di queste città superavano di molto quelle del Sacro Romano Impero.

2. ***Crociata:*** furono dette Crociate le spedizioni militari (sei in tutto) che dal 1095 al 1228 furono fatte dai cristiani di tutta l'Europa per liberare Gerusalemme e gli altri Luoghi Santi della Palestina caduti nelle mani dei Turchi, popolo di stirpe mongolica e di religione musulmana. I cavalieri e i soldati che parteciparono a queste spedizioni furono detti Crociati per la croce che avevano sulle armi e sulle vesti e che dette a queste imprese il carattere di una «guerra santa».

3. Pisa fu sconfitta nel 1284, nella battaglia della Meloria.

4. Dopo aver vinto la guerra contro Genova, i Veneziani iniziarono una politica di conquista all'interno dell'Italia che li portò in poco tempo ad avere uno Stato territoriale abbastanza grande che comprendeva il Friuli, il Veneto e parte della Lombardia. Contemporaneamente estesero i loro domini sulle coste balcaniche dell'Adriatico e in Oriente.

Uscite, o tristi... otto giorni vi dà l'Imperatore

Per molto tempo gli Imperatori non si erano interessati della situazione interna dell'Italia, perché impegnati nella lotta contro i grandi feudatari tedeschi e contro i Papi che volevano affermare la loro superiorità nei confronti dell'Impero (lotta per le investiture).
Così i Comuni si erano attribuiti funzioni e poteri come quelli di battere moneta[1], dichiarare guerra, fare leggi, imporre tasse, nominare pubblici funzionari, che permettevano loro di vivere e svilupparsi in libertà.
Ma quando, nel 1152, fu eletto Imperatore Federico I di Svevia, che gli Italiani chiamarono il Barbarossa, il nuovo Sovrano pensò che fosse suo preciso dovere restaurare[2], su tutto e su tutti, la sua autorità e pretese di conseguenza che i Comuni rinunciassero ai diritti acquistati.
La lotta fra il Barbarossa e i Comuni cominciò nel 1154. Durante un'assemblea di tutti i feudatari e i rappresentanti dei Comuni, convocata a Piacenza, l'Imperatore ordinò ai Comuni di restituire a lui tutti i diritti sovrani che si erano attribuiti.
I Comuni non ubbidirono. Dopo quattro anni il Barbarossa scese di nuovo in Italia, ma prima di fare una nuova assemblea attaccò con i suoi soldati la città di Milano che era alla testa dell'opposizione.
Questa volta molti Comuni, per paura, si piegarono, ma altri come Crema e Milano, resisterono, e pagarono duramente.
Quando Milano fu vinta (1162) l'Imperatore volle che fosse punita in modo severo e crudele: le case furono incendiate, le mura e le torri abbattute, i cittadini costretti a rifugiarsi nella campagna vicina.
Il dramma dei Milanesi è ricordato e descritto in modo molto suggestivo[3] da Giosuè Carducci[4] nella bella poesia «Il Parlamento»: il console Alberto di Giussano ricorda tutte le umiliazioni che l'Imperatore ha imposto ai cittadini fino all'ordine di abbandonare la città e alla sua distruzione.

«.................. Uscite, o tristi,
Con le donne co' i figli e con le robe.
Otto giorni vi dà l'Imperatore.
....

Crosciar vedemmo le trecento torri
De la cerchia; ed al fin per la ruina
Polverosa c'apparvero le case
Spezzate, smozzicate, sgretolate.
Parean file di scheletri in cimitero.
Di sotto, l'ossa ardean de' nostri morti».

Questa eccessiva crudeltà e sete di potere del Barbarossa non solo aumentò nei Milanesi l'odio e il desiderio di vendetta, ma fece sì che anche il Papa Alessandro III ed altri Comuni si mettessero contro di lui.

1. ***Battere moneta:*** coniare, emettere moneta propria.
2. ***Restaurare:*** ristabilire, anche con la forza, determinate consuetudini e istituzioni.
3. ***Suggestivo:*** capace di dare impressioni profonde, anche se vaghe e indefinite.
4. ***Giosuè Carducci:*** poeta toscano della seconda metà dell'Ottocento. Nacque in Maremma e a questa terra rimase sempre profondamente legato. Dal 1860 fino alla morte (1907) Carducci visse a Bologna, nella cui Università insegnava letteratura italiana. Scrisse molte poesie di argomento storico; le sue raccolte più famose sono le «Odi barbare» e le «Rime nuove».

Federico I viene incoronato ad Aquisgrana, presso la tomba di Carlo Magno.

Uniti in una «Lega» i Comuni, nel 1176, riuscirono a sconfiggere in una dura battaglia i soldati del Barbarossa il quale dovette alla fine riconoscere alle libere città i diritti che ormai di fatto possedevano.

Per questa lotta contro i Comuni Federico Barbarossa fu dipinto dai cronisti dell'epoca come autoritario[5] e feroce. In realtà egli fu anche un abile uomo di Stato e prima di morire ottenne un grande successo politico facendo sposare il proprio figlio Enrico con Costanza di Altavilla, unica erede al trono dei Normanni di Sicilia. Così alla sua morte il figlio e poi il nipote, il grande Federico II, ebbero la corona imperiale e quella del Regno dell'Italia meridionale.

Federico II, come il nonno, ebbe grandi doti di uomo politico ed era in più molto colto. Fondò l'Università di Napoli, componeva poesie e conosceva benissimo la filosofia e la teologia[6], ma anche l'architettura[7], l'arte della guerra ed altro ancora. I contemporanei lo chiamarono «meraviglia del mondo». Voleva riunire tutta la penisola italiana e per questo si mise contro i Comuni e il Papa che non voleva certo cedere a Federico il territorio della Chiesa.

Alcuni Comuni, che per questo saranno detti «ghibellini», si allearono con l'Imperatore perché erano preoccupati per le minacce dei Comuni più grandi. Furono fra questi Pisa e Siena. I Comuni che, come Firenze, stavano dalla parte del Papa contro l'Imperatore, erano detti «guelfi».

I guelfi vinsero in modo definitivo i ghibellini nel 1266 quando, chiamato dal Papa, venne in Italia Carlo d'Angiò, fratello del Re di Francia, e tolse al figlio di Federico II il Regno di Sicilia.

Finiva così il sogno di unità nazionale dell'Italia mentre negli ultimi anni del sec. XIII, la civiltà comunale era al suo pieno sviluppo.

5. ***Autoritario:*** che impone fermamente e duramente un'idea, un principio, una volontà. Si dice autoritaria una persona che tende ad affermare in modo esagerato la propria autorità.

6. ***Teologia:*** scienza e studio della divinità.

7. Si dice che lo stesso Federico II avesse progettato il bellissimo Castel del Monte che si trova sull'altopiano delle Murge, in Puglia.

La vita in un Comune del Duecento

Firenze, Genova, Milano, Venezia, Siena, Lucca, San Gimignano, Piacenza, Bologna e molte altre città sono le «capitali» dell'Italia comunale.
Ciascuna ha caratteristiche e attività particolari, è più o meno grande e più o meno ricca, ma tutte sono racchiuse da mura, hanno strade affollate di giorno e deserte di notte; hanno il loro Palazzo comunale e il loro orgoglio di libere città.
Nella città comunale del sec. XIII case, chiese, torri e palazzi formano un insieme abbastanza disordinato; le strade sono strette, le botteghe scure. Dalle strette vie si arriva però nelle bellissime piazze: quella della cattedrale[1], quella del Palazzo comunale e quella del mercato.
La vita dei cittadini non è comoda, la maggior parte delle case ha una sola stanza piena di fumo e un'unica finestra dalla quale entra il vento e il forte rumore della strada. Tutto infatti si fa per la strada, che è piena fino alle nove di sera di gente che lavora, discute, vende e compra, piange dietro a un funerale o ride e fa festa per un matrimonio. Non mancano gli animali e ovviamente i rifiuti di tutti i generi.
Per la strada si vedono anche frequenti episodi di violenza che esplode facilmente fra gente che vive in spazi troppo ristretti.
Del resto i costumi di uomini e donne sono violenti; anche gli uomini di chiesa portano le armi, anche le donne bestemmiano e gettano dalla finestra acqua sporca sulla testa dei passanti non graditi.
Nel mangiare amano i sapori più forti e coloro che possono permetterselo fanno grande uso di pepe e altre spezie, anche se i normali pasti quotidiani sono semplici e non molto abbondanti.
Nel vestire scelgono i colori vivaci: a Siena si preferisce il rosso e il verde, in altri Comuni del Nord l'azzurro.
Le donne, che non sono molto stimate dagli uomini e non fanno una bella vita, chiuse[2] in quelle loro case tanto scomode, ci tengono, come le donne di tutti i tempi, ad avere bei vestiti e gioielli. Le leggi comunali però sono, a questo riguardo, molto severe e fissano addirittura la misura massima della stoffa da usare per gonne e mantelli. Se hanno modi piuttosto rozzi, non bisogna però pensare che Fiorentini, Senesi e Milanesi del 1200 siano ignoranti.
I documenti dell'epoca dimostrano infatti che si spende molto per insegnare ai ragazzi a leggere e a scrivere. Non dobbiamo inoltre dimenticare che nascono proprio nelle città comunali le Università o Studi. Risalgono agli inizi del sec. XI le origini dello Studio di Bologna, famoso per l'insegnamento del diritto, al sec. XIII quelle dello Studio di Padova, Siena, Napoli, ecc.
Anche gli studenti stanno spesso per le strade a discutere, fra di loro o con i maestri, di diritto e di medicina; portano am-

1. ***Cattedrale:*** si chiama cattedrale la chiesa più grande e importante di una città che prende anche il nome di duomo.
L'orgoglio dei cittadini dei Comuni volle la costruzione di magnifiche cattedrali, di stile romanico quelle dell'XI e XII sec., di stile gotico quelle del XIII e XIV.

2. Gli Statuti senesi (1262) proibivano alle donne di scendere in strada a filare e a chiacchierare con le vicine.

Il commercio a Siena (particolare del Buon governo di Ambrogio Lorenzetti, Siena, Palazzo pubblico).

pie vesti a pieghe e calze dai colori vivaci, partecipano alle feste cittadine.
Nonostante la mancanza di comodità, le carestie, le guerre e le violenze, la società comunale è nel suo insieme una società festosa.
Si fanno feste bellissime come il Palio di Siena. Per il Palio lo statuto comunale dispone che la gente di città deve andare al Duomo, contrada per contrada, con ceri accesi, e precisa che devono andare «tutti, anche quei di fuori, ed eccettuati solo i poveri, i malati e quei che avessero inimicizie mortali».
Una vera festa deve essere festa di tutti!

Laudato sì, mi Signore, per sora luna e le stelle

Nei sec. XI e XII in Italia come negli altri Paesi dell'Europa cristiana nacquero e si svilupparono i movimenti degli eretici[1]. Essi (Catari, Valdesi, ecc.) avevano in comune la ricerca della povertà e della purezza primitive ed erano contrari alla Chiesa di Roma troppo corrotta. In Italia, come altrove, vi era allora il diffuso disagio di una società rinnovata nei confronti di una religione rimasta indietro con i tempi.

Ma a partire dal sec. XIII la storia religiosa italiana assume caratteri particolari per l'influenza profonda che in tutta la penisola ebbe il Movimento francescano.

Francesco nasce ad Assisi (Perugia) nel 1182, è figlio di un ricco mercante e passa l'adolescenza fra feste e giochi. Dopo una malattia ha una crisi spirituale, trova la sua vita priva di valori e decide di cambiare. Abbandona la sua bella casa, le ricchezze, perfino gli abiti, e con pochi compagni va per città e campagne a predicare l'amore verso tutte le cose, la gioia, la semplicità.

Fa le sue prediche in volgare[2], cioè nella lingua che ormai tutto il popolo parla. In esse non se la prende con il clero[3] né con gli eretici, ma insegna alla gente che in tutto c'è l'amore di Dio:

1. ***Eretico:*** chi professa un'eresia, cioè una dottrina non conforme ai dogmi di una religione o agli insegnamenti dei suoi sacerdoti.

2. ***Volgare:*** verrà chiamata «volgare» (dal latino *vulgus* = popolo) la lingua che dopo il Mille parlava il popolo, ma che non veniva usata dai dotti. Essi fino al 1200 parleranno e scriveranno latino sia nelle Università sia nei documenti ufficiali e letterari.

3. ***Clero:*** l'insieme degli ecclesiastici a cui, in una Chiesa, è affidato il culto divino e che svolgono un certo ruolo nella vita civile e politica.

San Francesco predica agli uccelli (affresco di Giotto, Assisi, Chiesa di San Francesco).

nei santi come negli assassini, nell'agnello come nel lupo, nella vita come nella morte.
A Roma il Papa approva la sua semplice Regola: «Andate e predicate... non tenete oro né argento... non sacca da viaggio, né calzari, né bastoni». E nasce così l'Ordine dei francescani.
Prima di morire (1226) Francesco compone il famoso «Cantico delle creature» che è uno dei primi documenti letterari in lingua italiana ed è anche una testimonianza dell'originale sentimento religioso del Santo.
Ed è soprattutto questo nuovo sentimento, il rilievo dato a «sora luna» e a «sora acqua» e a «frate foco» come segni della divinità, ad avere successo fra la gente dei vivaci Comuni italiani. Francesco riporta sulla terra quel Dio che la religione del Medio Evo aveva allontanato.
Nel sec. XIII in tutta la società italiana ci sarà qualcosa di francescano.
La Chiesa, a soli due anni dalla morte, proclama Francesco Santo e vengono immediatamente iniziati i lavori per la costruzione della Basilica di Assisi[4]. È la prima di una serie di chiese francescane che, nel corso del secolo, sorgeranno in quasi tutte le città d'Italia.
Si avrà un'arte e una letteratura francescana, i Francescani saranno presenti nelle Università.
La Regola di S. Francesco non verrà sempre rispettata dai seguaci, ma al popolo egli lasciò il dono prezioso di una religione semplice e serena e la sua facile lezione di amore non verrà dimenticata.

4. La Basilica di S. Francesco ad Assisi ha splendidi affreschi di Giotto, Cimabue, Simone Martini e Pietro Lorenzetti.
Anche la Chiesa di S. Croce, a Firenze, è una chiesa francescana con bellissimi affreschi di Giotto.

Firenze ai tempi di Dante

Dante Alighieri, nato a Firenze nel 1265 e morto a Ravenna nel 1321, uno dei più grandi poeti di tutti i tempi, nella «Divina Commedia»[1] ci offre un quadro, composto di tanti episodi, della società comunale del suo tempo e soprattutto del Comune di Firenze.
Dante è dispiaciuto perché l'Italia è divisa e Papi e Imperatori l'hanno abbandonata. «Ahi, serva Italia, di dolore ostello, nave senza nocchiere in gran tempesta»[2].
Vi sono continue guerre: Genova contro Pisa, Venezia contro Genova, Pisa contro Firenze, ecc., quasi un *bellum omnium contra omnes*.
Anche Firenze è una città divisa. Prima guelfi contro ghibellini, poi guelfi «neri» contro guelfi «bianchi», le Arti maggiori contro le minori e viceversa; Dante rimpiange i tempi antichi, quando il popolo fiorentino non si era ancora abbandonato alla superbia e alla sete di denaro.
Ma pur con le sue rivalità politiche Firenze, alla fine del 1200, è una fra le quattro città italiane con maggior numero di abitanti (circa 100.000) ed è uno dei mercati più importanti d'Europa per il commercio dei tessuti di lana.
Sono quaranta le banche fiorentine che dispongono di grosse somme di denaro di cui non possono fare a meno né Principi, né Re, né Papi. Case e palazzi dei numerosi ricchi sono molto belli, la popolazione mangia a sufficienza e i ragazzi vengono istruiti. Nonostante la mancanza di un'università si è sviluppata nella città una vita culturale ed artistica molto intensa.
Politicamente Firenze è guelfa, poiché guelfi sono i suoi borghesi che fin dalla metà del 1200 riescono ad imporsi e a dividere il potere con gli aristocratici. Nel 1293, con i famosi Ordinamenti di giustizia, i ricchi borghesi tentano di eliminare del

Dante con Beatrice e Cacciaguida, in Paradiso, ricorda le belle virtù di Firenze antica (Paradiso, canto XV).

1. ***Divina Commedia:*** è la maggiore opera di Dante e forse la maggiore opera poetica della letteratura italiana. Dante, che ha passato un periodo di peccato, per ritrovare la via della salvezza e della verità, immagina di fare un viaggio attraverso l'Inferno, il Purgatorio e il Paradiso. Lì incontra una folla di personaggi dei tempi antichi e moderni, amici e nemici, uomini e donne che scontano i propri peccati, o godono le gioie del Paradiso.
L'opera, in versi, si compone di cento canti.

2. Purgatorio, VI, 76-77.

tutto i nobili dal governo della città. Secondo gli Ordinamenti infatti non si possono avere cariche pubbliche se non si è iscritti ad una Corporazione professionale. Subito dopo però la legge viene modificata per permettere agli aristocratici di iscriversi alle Corporazioni, senza l'obbligo di esercitare una professione.

Firenze è dunque una democrazia borghese, governata da otto priori e un gonfaloniere, eletti dalle Corporazioni più importanti. Sono i ricchi ad avere il potere e ad essere spesso in lotta fra loro. Anche quella fra «bianchi» e «neri» è una lotta per il potere fra gruppi di famiglie rivali.

Nel 1300 i «neri» si impadroniscono in modo violento del governo della città e condannano a morte e all'esilio molti bianchi fra i quali Dante che era allora priore.

Nel corso del XIV sec. la splendida Firenze dovrà affrontare molte situazioni difficili. Ci saranno continue guerre contro le città vicine, grosse crisi finanziarie delle sue banche e una terribile epidemia di peste (1348) che ridurrà di molto la popolazione cittadina. In questo clima di crisi generale esploderà una rivolta popolare divenuta famosa come «tumulto dei Ciompi». Il successo dei lavoratori sarà tuttavia di breve durata e le poche famiglie che contano (gli Albizi, gli Alberti, i Medici ed altri) torneranno a governare la bella città di Dante.

L'Italia delle Signorie

Dalla metà del 1300 in molte città italiane, dove da tempo il potere era in mano a poche famiglie ricche, un «Signore» riesce a prevalere sugli altri.
Il Signore è talvolta un nobile, ma più spesso un ricco banchiere[1] o un mercante. Egli ha saputo farsi apprezzare dalla gente della sua città per l'abilità politica o per la grande generosità dimostrata verso gli amici; poiché le cose non vanno molto bene all'interno delle città, viene accettato dalla maggioranza dei cittadini come un salvatore.
Ma il Signore, dopo aver riunito nelle sue mani il potere legislativo ed esecutivo, diventa di fatto un capo assoluto che cerca di conservare il potere per tutta la vita e di trasmetterlo ai figli, proprio come un Sovrano. Il Papa o l'Imperatore gli concedono un titolo feudale e il Signore diventa Principe o Duca.

1. ***Banchiere:*** imprenditore che si assume l'esercizio di credito. Nel tardo Medio Evo e nel Rinascimento molti mercanti che si erano arricchiti con i commerci, divennero banchieri e moltiplicarono così le proprie sostanze.

Il banchetto del Signore (miniatura del secolo XIV). La ricchezza del periodo delle Signorie e dei Principati si rifletteva anche negli splendidi banchetti dei ricchi, rallegrati dai musicisti.

Il potere viene così attribuito dall'alto e non più dai cittadini come era stato nell'età dei liberi Comuni.
I Signori, divenuti Sovrani, si dedicano ad ingrandire il proprio territorio attraverso continue guerre con i Signori vicini.
A combattere non sarà il popolo che non ha nessuna preparazione militare, ma soldati di professione: le truppe mercenarie o compagnie di ventura, guidate da capi coraggiosi e senza scrupoli[2] che i Signori pagano a caro prezzo.
Così, a metà del sec. XV, molte delle piccole città-stato erano scomparse e l'Italia era divisa in Stati che avevano un territorio assai più grande di quello di una città. Le cinque potenze principali erano il Ducato di Milano, la Repubblica di Venezia, la Signoria di Firenze, lo Stato della Chiesa o Stato pontificio, il Regno di Napoli.
Fra le Signorie un caso a parte era rappresentato da Firenze dove il Signore, Cosimo dei Medici, non divenne mai né Principe né Duca.
Cosimo, attraverso le banche e i commerci della sua famiglia era divenuto uno degli uomini più ricchi del mondo ed aveva usato la sua ricchezza per acquistarsi l'amicizia e la riconoscenza di molti fiorentini.
Fu attraverso questa amicizia e questa riconoscenza che riuscì a mantenere il potere per trenta anni (1434-1464) e a trasmetterlo a figli e nipoti.
Cosimo controllava totalmente la vita politica di Firenze facendo eleggere al governo uomini che eseguivano fedelmente i suoi ordini, ma non modificò mai le istituzioni comunali.
I Fiorentini, che amavano molto la libertà cittadina e erano orgogliosi dell'indipendenza del proprio Comune, lo stimarono e lo amarono per tutta la vita.

2. Alcuni condottieri delle truppe mercenarie, particolarmente esperti, ma anche particolarmente crudeli e pronti a tradire pur di avere maggiori guadagni, divennero addirittura Signori delle città che li avevano pagati.
Braccio Fortebraccio da Montone fu Signore di Perugia, Sigismondo Malatesta, di Rimini. Nella seconda metà del 1400 Francesco Sforza divenne duca di Milano.

Leonardo, La Gioconda (1503-1505), olio su tavola, Parigi, Louvre. ►

Parte III

Firenze capitale del Rinascimento

Nelle corti dei Signori e dei Principi italiani nasce, tra il finire del XIV e la prima metà del XV sec., una vera e propria rivoluzione culturale. I protagonisti non sono più uomini che si dedicano con grande impegno alla preghiera e alla fede, ma uomini che usano liberamente la ragione, studiano la natura e le opere umane, partecipano alla vita politica. Questi intellettuali si dedicano in particolare a leggere e a riscoprire le opere della civiltà classica che era stata conosciuta poco e male nel Medio Evo.

Comprendono la grande lezione dei classici greci e latini, il loro metodo di lavoro, privo di pregiudizi, e si meritano il nome di «umanisti», cioè esperti di *Humanae litterae*. Umanesimo verrà chiamato il pensiero e la cultura che nasce attorno a loro.

L'Umanesimo annuncia e anticipa quella nuova fase di civiltà che riguarda non solo le *litterae*, ma anche la scienza, la tecnica, le arti, la politica, l'economia e che si avrà in Italia dalla prima metà del Quattrocento alla fine del Cinquecento.

Il nome dato a questo periodo sarà Rinascimento, perché sembrava rinata la civiltà antica, «ritrovata» dagli umanisti. Ma in realtà quella del Rinascimento fu una civiltà varia ed originale che trovò nel mondo classico solo un elemento di confronto.

Gli uomini del Rinascimento si dedicavano allo studio della natura anche per dominarla e migliorare la vita dell'individuo. Conobbero molte leggi dell'universo e la loro armonia. Grandissimo fu lo sviluppo dell'arte, intesa come la più evidente manifestazione dello spirito creativo dell'uomo e mezzo per esaltare la bellezza.

La pace e la ricchezza dell'Italia della seconda metà del Quattrocento saranno favorevoli a questo sviluppo. Principi e Signori faranno a gara per avere presso le loro corti gli artisti più famosi.

È quasi impossibile ricordare tutti gli edifici e le opere di cui in questo periodo si arricchì il patrimonio artistico italiano. Il Palazzo dei Diamanti a Ferrara, il Palazzo ducale di Venezia, quello di Mantova, quello di Urbino e la magnifica cittadina di Pienza (Siena) non sono che alcuni esempi per i quali già sarebbe necessario un trattato di storia dell'arte. E che dire del gran numero di artisti che si formarono e lavorarono durante il Rinascimento? Basta fare il nome di Leon Battista Alberti, Brunelleschi, Donatello, Masaccio, Botticelli, Tiziano, Raffaello, Michelangelo, Leonardo.

In mezzo a questa grande ricchezza culturale e artistica, a tante corti raffinate, è Firenze la vera capitale del Rinascimento.

Lorenzo dei Medici (1449-92), nipote di Cosimo, aveva ricevuto un'educazione umanistica e aveva imparato da suo nonno a dare importanza alla cultura e all'arte. Per tutta la vita dedicò tempo, cura e grandi mezzi a opere artistiche e culturali. Scoprì il genio di Michelangelo, lasciò ai Fiorentini quella immensa raccolta di opere che è la Biblioteca Laurenziana. Lorenzo si

Lorenzo il Magnifico.

trovò a capo della città a ventun anni e governare Firenze non era un compito facile, ma era intelligente e preparato sia in politica sia negli affari. Con lui Firenze riuscì ad essere determinante nell'equilibrio tra gli Stati italiani, che conservarono per quaranta anni pace e libertà.

La città toscana ebbe, insieme a questo primato politico, un vero primato intellettuale. Solo a Firenze infatti la vita artistica, l'amore per le lettere erano un fatto collettivo e facevano parte dell'orgoglio di essere fiorentini. La cultura fiorentina non rimase tuttavia un fatto «cittadino», ma ebbe più di altre caratteri universali. Molti artisti partirono da Firenze per lavorare in varie città d'Italia e si diceva che chi desiderava costruire un edificio doveva rivolgersi a Firenze.

Ma fu soprattutto la lingua, insieme alla letteratura, che fece di Firenze la capitale della cultura rinascimentale. Un umanista aveva scritto: «Dove troviamo uomini più illustri... dove Dante, dove Petrarca, dove Boccaccio?». Dante, Petrarca, Boccaccio nel Quattrocento infatti ebbero grandissima fama, fra le prime opere a stampa che si fecero tra il 1470 e il 1472, ci furono soprattutto la «Divina Commedia», le «Rime», il «Decameron». La loro fama fu anche la fama della lingua fiorentina.

Gli umanisti fecero poi della lingua di Firenze, che nelle loro opere fu messa accanto al latino, la nuova lingua della cultura italiana.

Così con il genio dei suoi artisti, l'orgoglio della sua lingua, la saggezza del suo Signore, Firenze vive, nella seconda metà del Quattrocento, il periodo più bello di tutta la sua storia. C'è pace ed abbondanza e c'è, in mezzo alle feste, al lusso, ai giochi, all'arte, un'autentica gioia di vivere.

Venga presto la spada del Signore

Alla fine del sec. XV i maggiori Stati italiani (Ducato di Milano, Repubblica di Venezia, Signoria di Firenze, Stato della Chiesa, Regno di Napoli), divisi tra loro, erano troppo deboli per potersi opporre ai forti Stati unitari[1] che si erano formati in Europa e che erano attirati dalla bellezza e dalla ricchezza delle città e delle corti d'Italia. Il primo straniero a scendere in Italia fu, nel 1494, Carlo VIII di Francia che, come erede degli Angioini, voleva far valere i suoi diritti sul trono di Napoli. Il Re francese aveva preparato un grande esercito, ma i Principi italiani non gli fecero resistenza, non solo perché non ne avevano i mezzi, ma anche perché speravano di ottenere dal potente straniero dei favori personali.

Carlo VIII arrivò rapidamente fino a Napoli, ma a quel punto i Principi italiani, finalmente preoccupati, si unirono in una Lega[2] a cui parteciparono anche il Re di Spagna e l'Imperatore del Sacro Romano Impero. Carlo VIII fu costretto a rientrare in Francia e tutto sembrò tornare come prima, ma ormai le potenze straniere erano intervenute nella politica italiana e presto l'Italia avrebbe perso la sua autonomia.

A Firenze i Francesi furono accolti con tutti gli onori dalla Signoria, ma la popolazione colse l'occasione per cacciare i Medici e proclamare la Repubblica.

Molti Fiorentini, che da tempo ascoltavano le prediche del Savonarola, erano convinti che Carlo VIII fosse la giusta punizione, «la spada del Signore» chiamata dal frate nelle sue preghiere perché mettesse fine al «regno del male».

1. ***Unitario:*** ispirato a criteri di unità.
2. ***Lega:*** associazione per lo più a carattere politico o sindacale.

Fra Girolamo Savonarola nel ritratto eseguito dal suo confratello fra Bartolomeo.

Girolamo Savonarola, nato a Ferrara nel 1452, si era fatto frate domenicano ed era arrivato a Firenze negli ultimi anni della Signoria di Lorenzo il Magnifico. Ebbe fin dall'inizio molto successo.

Così lo ricorda un suo contemporaneo: «La predicazione di fra Girolamo era ferventissima et fruttuosissima, né mai veniva a fastidio. L'uditorio era ordinariamente di circa otto o diecimila persone, et si veniva talvolta due o tre ore innanzi dì, per pigliare il luogo... La voce et la pronuncia del Padre era tale che da tutti era udito benissimo, che parea cosa miracolosa... in pergamo[3] appariva maggiore che l'ordinaria sua statura non era, mostrando un animo invitto e virile, et senza sospetto o paura d'uomo vivente, alla maniera degli antichi profeti, apostoli e martiri».

Eletto priore del Convento di San Marco, non va a fare visita a Lorenzo dei Medici, protettore ufficiale del convento, poichè sostiene che i Principi sono tutti corrotti, come è corrotta la Chiesa, corrotti sono gli intellettuali, le leggi e i costumi.

Cacciati i Medici, il popolo di Firenze trova naturale fare del frate la propria guida.

Si costituisce un governo dove le antiche istituzioni comunali, con larga partecipazione popolare, riacquistano importanza e i «grandi» non hanno più il dominio assoluto.

Intanto il frate continua a predicare nelle strade e nelle piazze e a sollecitare i Fiorentini a realizzare una vera «Repubblica di Cristo»: «Bisogna, se voi volete un buon governo, che voi lo riduciate a Dio. Certamente io non vorrei impacciarmi dello Stato se non fosse così».

La folla che lo segue aumenta ogni giorno e non è solo gente del popolo, ci sono anche alcuni ricchi e molti intellettuali. Tutti sono affascinati dal suo linguaggio violento, dalle sue teorie in cui non c'è posto per il compromesso.

Nel carnevale del 1497 a Firenze si fa una cerimonia insolita, vengono bruciate nella pubblica piazza le vanità, cioè vestiti, libri di belle lettere, pitture.

Intanto però gli avversari della «Repubblica di Cristo» si sono rafforzati; i banchieri e gli altri borghesi sono assai preoccupati per la scomunica[4] che il Papa ha dato al Savonarola e che rischia di rovinare i loro rapporti di affari con Roma. Anche il popolo è stanco di fare penitenza ed aspettare fatti eccezionali che non arrivano mai. Per Savonarola è la fine. Viene arrestato, condannato per eresia poi impiccato e bruciato il 23 maggio 1498.

La Repubblica fiorentina, non più «di Cristo», durò ancora quattordici anni, ma fu la sua una vita senza gloria. Divisa all'interno da continue lotte di famiglie e partiti, non fece alcuna resistenza quando, nel 1512, gli Spagnoli riportarono i Medici a Firenze.

Appena venti anni dopo i Medici diverranno i Sovrani dell'intera Toscana con il titolo di granduchi; Granducato si chiamerà il loro Stato.

3. ***Pergamo:*** piccola costruzione in legno o in pietra, collocata in alto per poter parlare a molti ascoltatori.

4. ***Scomunica:*** censura ecclesiastica che consiste nel divieto di amministrare e ricevere i sacramenti.

Un matrimonio di nobili del Quattrocento.

L'uomo del Rinascimento, signore delle cose

Ciò che caratterizza il Rinascimento è la nuova idea dell'uomo che deve essere buon cittadino, ma insieme uomo di cultura e uomo di gusto, che sa godere della bellezza e dei piaceri della vita, che sa prendere dal mondo tutto quello che il mondo può offrirgli.

Una maggiore conoscenza della natura lo fa «signore delle cose», una maggiore conoscenza tecnica gli permette di vivere meglio.

Bisogna ricordare che quando parliamo di uomo del Rinascimento intendiamo uomo della classe dominante, quella classe dominante che nei sec. XV e XVI diviene sempre più forte e compatta, di cui fa parte la nobiltà e la ricca borghesia. Le masse lavoratrici sono del tutto dimenticate da un Rinascimento che non le riguarda in alcun modo.

I ricchi, che sono dunque i veri protagonisti del Rinascimento, cominciano nei primi decenni del sec. XV a costruire un po' dovunque palazzi, che talvolta sono belli e grandi quanto gli edifici pubblici costruiti nei secoli precedenti a spese della comunità.

Leon Battista Alberti[1], nato nel 1404, osserva meravigliato la trasformazione avvenuta nelle città italiane del suo tempo: «Quante città vedevamo noi mentre eravamo fanciulli fatte tutte di assi[2], le quali ora sono state fatte di marmo?».

Viene costruito nella seconda metà del Quattrocento il grandioso palazzo dei duchi di Urbino, tutto eleganza, luce, armonia. Così lo descrive nel 1528 Baldassar Castiglione[3] nel suo «Cortegiano». Federico da Montefeltro «nell'aspero sito d'Urbino edificò un palazzo, secondo l'opinione di molti il più bello che in tutta Italia si ritrovi; e d'ogni opportuna cosa sì ben lo fornì, che non un palazzo, ma una città in forma di palazzo esser pareva; e non solamente di quello che ordinariamente si usa, come vasi d'argento... ma per ornamento v'aggiunse un'infinità di statue antiche di marmo e di bronzo, pitture singularissime, instrumenti musici d'ogni sorte; né quivi alcuna cosa volle se non rarissima ed eccellente».

In questo splendido palazzo vive la famiglia dei Montefeltro, gli uomini della sua corte, molti ospiti che ascoltano e fanno musica, leggono libri greci e latini, parlano e discutono sulle qualità che deve avere il perfetto uomo di corte o cortigiano.

1. ***Leon Battista Alberti:*** letterato e architetto (Genova, 1404-Roma, 1472). Tra le sue opere architettoniche ricordiamo la facciata della Chiesa di Santa Maria Novella e il Palazzo Rucellai, ambedue a Firenze. Tra i suoi trattati il più conosciuto è quello sulla «Famiglia» dove sono espressi gran parte dei temi e degli ideali cari agli umanisti.

2. ***Asse:*** il termine è qui usato come sinonimo di tavola, legname.

3. ***Baldassar Castiglione:*** letterato e scrittore (Mantova, 1478-Toledo, 1529). Fu il tipico uomo del Rinascimento, colto nelle lettere classiche e nelle arti cavalleresche. Frequentò le più importanti corti italiane e fu a lungo presso i Montefeltro.
Nel suo «Cortegiano» ci dà una descrizione del perfetto uomo di corte e insieme della vita che si svolgeva, nel 1500, nei palazzi dei Signori. Vi è nella sua opera anche un discorso sulla lingua: il Cortegiano è contrario alla superiorità della lingua fiorentina e toscana e pensa ad una lingua nazionale, tratta dai vari dialetti.

Nella vita sociale, soprattutto in quella di corte, si dà molta importanza alla tavola. I Principi si circondano di bravi cuochi e camerieri, offrono ai propri ospiti pranzi e cene ricchi di cibi raffinati. Nelle feste e nelle occasioni particolari il numero e la varietà di piatti è eccezionale; il vino sempre abbondante e di buona qualità. Si beve soprattutto Chianti, allora chiamato Trebbiano.
La vita di famiglia, al di là delle feste, trascorre tranquilla e con regole abbastanza rigide, dettate dal padre. In genere nelle famiglie aristocratiche e borghesi più generazioni vivono insieme, governate dall'autorità del più anziano che è anche il padrone di tutti i beni familiari.
Il capofamiglia del Rinascimento è una specie di *pater familias*. Certo le leggi non riconoscono più al padre il diritto di vita e di morte su moglie e figli, ma ammettono che si possa uccidere una moglie poco onesta e punire i figli ribelli con il carcere.
Dalla letteratura dell'epoca appare tuttavia un quadro piuttosto sereno dei rapporti fra padri e figli maschi i quali vengono educati in famiglia e istruiti da bravi maestri. Se i giovani crescono bene, studiano, e il padre è contento di loro, ottengono presto la libertà nell'uso di una parte del patrimonio e possono così governare la propria vita e i propri affari.
Le cose sono molto diverse per le figlie femmine.
Anche nelle case dei Principi esse sono male accolte. Le femmine non potranno continuare gli affari pubblici e privati del padre; daranno inoltre preoccupazioni alla famiglia per trovare loro un marito. Sono tempi in cui non si guarda solo alla bellezza e all'onestà delle ragazze, ma anche alla loro dote e non ci si accontenta di pochi soldi o di qualche vaso d'argento.
Molte ragazze verso i sette anni, vengono mandate in un monastero di religiose per imparare a fare i lavori femminili. A dieci o undici anni ne escono solo quelle per le quali il padre ha trovato, o pensa di trovare, un marito. Le altre vi rimangono e si preparano a divenire monache. Ma anche le più fortunate, quelle che lasciano il convento, non sono destinate ad una gran bella vita. Chiusa in casa, almeno secondo il desiderio del marito, la moglie deve limitarsi alle funzioni di una brava governante, sottomessa al marito-padrone. Le donne spesso si ribellano, non ubbidiscono e, piano piano, si guadagnano una maggiore libertà.
Già nel Cinquecento ci sono molti cambiamenti. Le donne sono presenti nella vita sociale della quale diventano talvolta il centro di interesse. Molte hanno una buona cultura e cercano di farsi belle in tutti i modi.
Gli artisti apprezzano sempre più la bellezza femminile e i loro dipinti mettono in evidenza l'eleganza, la ricchezza dei vestiti e dei gioielli.
Certo non per questo la donna del Cinquecento è riuscita ad essere pari all'uomo. Nelle conversazioni del «Cortegiano» anche i più «femministi» considerano ancora la donna un oggetto di piacere per l'uomo, signore delle cose.

Roma nel Rinascimento: Papi corrotti e splendore dell'arte

Fra tanta ricchezza di palazzi, piazze e ville che dalla seconda metà del Quattrocento vengono costruite in tutta Italia, il *boom* delle costruzioni è a Roma veramente eccezionale. Roma cessa di essere quell'insieme disordinato di rovine antiche e case poverissime che era stata durante il Medio Evo e comincia a divenire la città unica al mondo che oggi conosciamo.
I Papi in questo periodo non sono tanto i capi della Chiesa cristiana quanto dei Principi, preoccupati di rafforzare le strutture del proprio Stato e più ancora di soddisfare le ambizioni dei propri familiari, fratelli, nipoti, e anche figli. È questo il fenomeno che viene detto «nepotismo». Il primo a preoccuparsi veramente di rafforzare l'autorità del Papa sullo Stato della Chiesa è Sisto IV, eletto nel 1471, il quale tuttavia muore senza aver ottenuto risultati concreti. Le cose non migliorano con Innocenzo VIII, personaggio assai corrotto, eletto attraverso un grosso giro di denaro. Alla morte di Innocenzo VIII è la volta del cardinale Rodrigo Borgia che prende il nome di Alessandro VI.
Il Papa Borgia si impegna subito in una politica di affermazione personale e familiare mai vista. I suoi più validi collaboratori saranno due dei cinque o sei figli, Cesare e Lucrezia. Bello e affascinante Alessandro VI ha rapporti con molte donne e non esita a riconoscere con un documento ufficiale un figlio. Il potere di cui dispone come capo dello Stato pontificio, unito all'intelligenza personale, alla forza fisica e alla violenza del figlio Cesare mettono paura a chi ha qualcosa da perdere. Cesare in poco tempo, con un'abilità rara, che susciterà l'ammirazione dello stesso Machiavelli[1], con spietati delitti e tradimenti, diviene padrone della Romagna. Quando pare che nessuno possa ormai fermarlo, il 18 agosto 1503, suo padre muore.
Diviene Papa, con il nome di Giulio II, il cardinale Giuliano della Rovere che verrà detto «terribile» poiché sarà un Sovrano indipendente e duro; per tutta la vita si impegnerà per riaffermare la grandezza di Roma e l'autorità dello Stato della Chiesa di fronte a tutto il mondo. Nonostante che spenda molto per monumenti e opere artistiche d'eccezione, cerca anche di migliorare l'economia dello Stato e ci riesce, sia pure con il solito mercato di cariche e indulgenze[2]. Alla sua morte lo Stato pontificio è uno dei più potenti e civili della penisola.
Le qualità del nuovo Pontefice, Leone X, non sono l'autorità né la voglia di fare delle guerre. Questo «giovane» di trentotto anni, figlio del grande Lorenzo dei Medici, è uno studioso raffinato, delicato e generoso. Tutto lo porta a continuare e a superare l'opera di Giulio II quanto a cultura ed arte, ma in politica non ha fermezza e commette molti errori. Cerca di favorire la sua famiglia, ma non ha l'abilità dei Borgia e non ottiene buoni risultati.
Leone X (1513-1521) segna tuttavia un'epoca. Nel secolo di Leone X, come dirà *Voltaire*[3], la vita intellettuale e artistica italiana raggiunge il punto più alto di intensità collettiva. La

1. ***Niccolò Machiavelli***: (Firenze, 1469 - 1527); fu uomo politico, poeta e scrittore di storia e di arte militare. La sua opera più importante e famosa è il «Principe».

2. ***Indulgenza:*** secondo la dottrina cattolica è l'abolizione di tutta o di una parte della pena che si deve per i peccati e che l'autorità ecclesiastica (sacerdoti, Papa, ecc.) può concedere per i vivi e per i morti. Le indulgenze si possono guadagnare a speciali condizioni da cui non è escluso il pagamento di somme di denaro per scopi di carità, costruzione di chiese, ecc. Leone X per raccogliere soldi per la costruzione di San Pietro non esitò ad offrire ai fedeli una speciale indulgenza. Questo grave fatto aumentò la voglia di ribellione che c'era in Germania contro la Chiesa di Roma.

3. ***François - Marie Voltaire:*** (Parigi, 1694-1778), letterato, filosofo e storico francese del periodo dell'Illuminismo.

Papa Giulio II, detto «il terribile» in un ritratto di Raffaello.

corte di Roma diviene il punto di riferimento dell'Italia delle *litterae* e dell'arte.
Opere eccezionali erano state iniziate sotto Giulio II. Nel 1506, su progetto del Bramante, erano cominciati i lavori di San Pietro che dureranno oltre un secolo; la meravigliosa cupola, opera di Michelangelo, sarà finita nel 1589. Nel 1508 Raffaello aveva iniziato a dipingere le Stanze vaticane e Michelangelo era stato incaricato di affrescare[4] la Cappella Sistina.
Tutte queste grandiose opere ed altre ancora, iniziate da Giulio II, verranno continuate con grande cura e generosità di mezzi da Leone X.
Raffaello lavorerà a Roma fino alla sua morte e sarà trattato «non come un pittore, ma come un Principe».
Fu segretario di Leone X Pietro Bembo, autore delle «Prose della volgar lingua» che possono essere considerate la prima grammatica italiana. Vissero negli stessi anni a Roma Baldassar Castiglione, autore del «Cortegiano», e Ludovico Ariosto che stava terminando il suo «Orlando Furioso». Forse non vi fu artista o intellettuale di qualche rilievo, vissuto in questa epoca «breve e luminosa», che non sia stato legato alla Roma di Leone X.
Il Sacco[5] di Roma, dopo pochissimi anni, da parte dei soldati di Carlo V, metterà fine ad un'epoca dell'Italia e dei grandi Papi.
Anche se la Chiesa della Controriforma[6] si riprenderà negli anni successivi il prestigio spirituale, in questo periodo finiscono per sempre i sogni dei Papi del Rinascimento che avevano creduto di poter conquistare per lo Stato della Chiesa forza e autonomia politica.

4. ***Affrescare:*** ornare con affreschi.

5. ***Sacco:*** il termine sta qui per saccheggio. Si dice «mettere a sacco una città» nel senso di saccheggiarla.

6. ***Controriforma:*** si indica con questo termine la vasta azione di riforme, religiose e morali, fatte dalla Chiesa cattolica per riaffermare i propri dogmi e le proprie regole contro la Riforma protestante di Lutero.

Il genio universale di Leonardo

La maggior parte dei grandi uomini del Rinascimento furono abili in molte cose e sapienti in parecchie discipline. Niccolò Machiavelli fu uomo politico, poeta e scrittore di storia e di arte militare. Michelangelo Buonarroti fu scultore, pittore, architetto e anche poeta.
Ma il genio veramente universale fu Leonardo da Vinci. Nacque a Vinci (Firenze) nel 1452 da un notaio e da una contadina. Tutti capirono subito che la natura era stata generosa con lui: era bellissimo, simpatico ed aveva una grande forza fisica. La sua intelligenza poi era così vasta ed acuta che risolveva senza sforzo qualunque problema, e otteneva ottimi risultati in qualunque campo si applicasse.
Fu così pittore, scultore, architetto, matematico, ingegnere, fisico, musicista, filosofo.
La passione per il disegno e la pittura si rivelò prima delle altre e il padre mandò il giovane Leonardo a Firenze, alla scuola del celebre scultore e pittore Andrea del Verrocchio. Nel 1472 era iscritto nel registro dei pittori fiorentini, ma non aveva alcun contatto con l'ambiente dei Medici. Mentre tutti lavoravano lui veniva lasciato da parte.
Quando andò a Milano, alla corte di Ludovico il Moro, si considerava più un musicista e un ingegnere militare che un artista. Nella lettera che scrisse al duca per offrirgli i suoi servizi, fece un lungo elenco di macchine da guerra che lui poteva costruire e dedicò ben poco spazio a descrivere le sue qualità di architetto, pittore e scultore. Dichiarava tuttavia di poter «fare quello che fa un altro, chiunque possa essere».
Il duca di Milano guardò gli originali disegni delle macchine di Leonardo, ma non era preparato a capire ed approvare tante novità. A Milano comunque Leonardo non si trovò male e vi rimase fino al 1499. Secondo il Vasari[1], Ludovico il Moro lo protesse e lo capì sempre. Il duca era affascinato dal suo modo di suonare la lira[2], dalla sua conversazione piacevolissima, e gli perdonava la lentezza con cui eseguiva i lavori che gli venivano affidati.

1. ***Giorgio Vasari:*** pittore, architetto, storico dell'arte (Arezzo, 1511-Firenze, 1574). È famoso soprattutto per aver scritto «Le vite» in cui troviamo la biografia dei «più eccellenti pittori, scultori ed architetti», da Cimabue a Tiziano.
2. ***Lira:*** strumento musicale a corde.

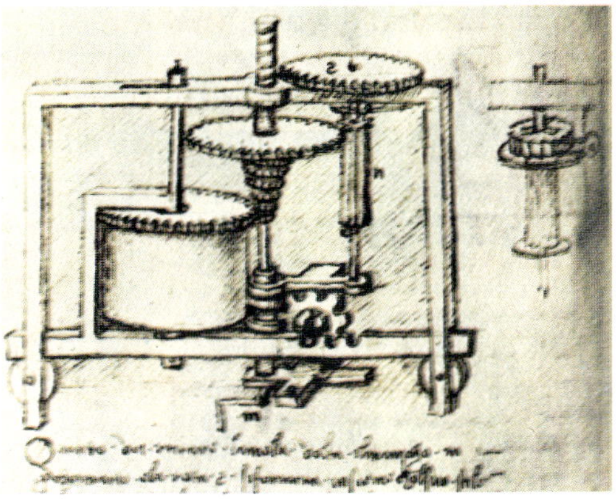

Studio di un meccanismo, ideato da Leonardo da Vinci.

Leonardo, a Milano, lavorò per anni ad un grande cavallo che doveva servire per un monumento del padre del duca, ma terminò solo il modello in gesso. Mentre poi dipingeva l'«Ultima cena» per il Convento di Santa Maria delle Grazie il priore[3], stanco di vederlo per mezze giornate fermo a pensare, senza prendere i pennelli in mano, si lamentò con il duca. Leonardo spiegò allora a Ludovico il Moro che nei momenti in cui sembrava che lui non lavorasse, in realtà faceva il maggior lavoro perché ricercava invenzioni e idee che poi le mani avrebbero espresso. Aggiunse che doveva riflettere molto per riuscire ad immaginare i due personaggi di Cristo e di Giuda, che ancora doveva dipingere, anche se avrebbe potuto dare al suo Giuda la faccia «di quel priore tanto importuno e indiscreto».

È chiaro che per Leonardo la pittura è una scienza e una ricerca continua. Anche la celebre «Gioconda», cioè il ritratto di Monna Lisa, moglie di Francesco del Giocondo, a cui lavorò quattro anni e che, come al solito, non terminò, è più una ricerca che un ritratto.

La riproduzione dei particolari del volto è realistica e sottilissima. Scrive il Vasari: «Gli occhi avevano[4] quell'aspetto acquoso e limpido che di continuo si vede dal vivo, ed intorno vi erano tutte quelle ombre rossastre e livide e quelle ciglia che non si possono fare senza grandissima delicatezza. Le sopracciglia, in cui si vedeva come nascono i peli della carne, dove più folti e dove più radi, e come girano secondo la direzione dei pori, non potevano essere più naturali».

Ma Leonardo non si ferma ai particolari del volto, tenta anche di interpretare l'animo di Monna Lisa, racchiuso nel misterioso sorriso del ritratto più famoso del mondo.

La «Gioconda» viene dipinta a Firenze, dove il grande artista era tornato per alcuni anni e dove si dedica ai suoi studi sul volo umano, con osservazioni sugli uccelli, disegni, progetti di geniali macchine mai realizzate. Va poi di nuovo a Milano e si occupa di un progetto per regolare il corso del fiume Adda. Nel 1516 si trasferisce in Francia dove diviene pittore di corte e dove non si rifiuta di disegnare costumi per i balli in maschera e decorazioni per le feste.

Rimane tuttavia un uomo libero, padrone di eseguire l'opera come gli pare e anche di non finirla quando si annoia o non riesce a trasferire nelle mani le idee della sua mente.

Muore in Francia nella primavera del 1519 e il Re Francesco I ordina che venga sepolto nella cappella reale di *Amboise*.

3. ***Priore:*** superiore, capo di una comunità religiosa.

4. Il Vasari usa il passato poiché, quando scrive «Le vite», il quadro di Leonardo non si trova più in Italia, ma a *Fontainebleau*, presso il Re di Francia.
«La Gioconda» è ora esposta nel museo del *Louvre* a Parigi.

Il divino Michelangelo

Scultore, pittore, architetto, poeta, Michelangelo Buonarroti è il primo artista moderno solitario, tutto preso dalla sua idea dell'arte. È l'unico fra i numerosi artisti della sua epoca a non legarsi a Principi e Papi. Ha un carattere chiuso ed appare per lo più estraneo agli avvenimenti del suo tempo, ma il suo genio si impone in modo così evidente che i suoi stessi contemporanei lo chiamano «divino».
Nato a Caprese (ora in provincia di Arezzo) nel 1475 da una famiglia modesta, entrò ancora bambino nella scuola di scultura dei Medici e fu lo stesso Lorenzo a notare le sue straordinarie capacità. Trascorse così la sua giovinezza presso i Signori di Firenze e fu influenzato dalla cultura di umanisti come Angelo Poliziano, Marsilio Ficino, Pico della Mirandola. Ma non fece suo quel modo di vivere elegante, ricco e raffinato proprio delle corti dell'epoca. Si dice che vivesse sempre da povero, anche quando guadagnava bene, e che mangiasse e dormisse poco.
Fin da giovane credette nella dignità superiore dell'arte intesa come ricerca della perfezione e di un'idea di bellezza divina che l'artista ha in sé. La tecnica quindi, che non fu mai trascurata da Michelangelo, non serve per copiare la realtà terrena, ma per tentare di realizzare quell'immagine di bellezza che l'artista possiede.
Giorgio Vasari, che conobbe molto bene Michelangelo, ci ricorda nelle sue «Vite» i duri esercizi che esso faceva per migliorare la sua arte. «Fu Michelangelo molto inclinato alle fatiche

Michelangelo Buonarroti: un particolare degli affreschi della Cappella Sistina a Roma.

dell'arte, veduto che gli riusciva ogni cosa quantunque difficile, avendo avuto dalla natura l'ingegno molto atto ed applicato a queste virtù eccellentissime del disegno; là dove, per essere interamente perfetto, infinite volte fece anatomia, scorticando[1] uomini per vedere il principio e legazioni dell'ossature, muscoli, nerbi, vene, e moti diversi, e tutte le positure del corpo umano; e non solo degli uomini, ma degli animali ancora...».

Nonostante gli ottimi risultati ottenuti nella pittura e nell'architettura, Michelangelo fu soprattutto scultore.

Diceva che non c'è nessuna figura o forma, che l'artista possa immaginare, che non sia dentro il marmo. Fare una scultura per lui non era altro che togliere da un pezzo di marmo quella parte in più che tiene la figura prigioniera.

A poco più di venti anni Michelangelo aveva già fatto lavori di grande valore fra cui la stupenda Pietà che oggi si trova in San Pietro a Roma dove, secondo il Vasari, si vede «tutto il valore e il potere dell'arte».

Nonostante il suo spirito indipendente non poté evitare di avere rapporti con i potenti, dai quali dipendeva la sua attività e quindi la sua vita.

Nel 1505 venne chiamato a Roma dal Papa Giulio II il quale desiderava che il grande artista gli preparasse la tomba. Con questo Papa, duro e autoritario, Michelangelo ebbe molti contrasti.

Il progetto della tomba era assai grandioso e sarebbe stato necessario lavorarci intensamente, senza alcuna distrazione. Il Papa invece cambiava spesso idea e nel 1508 volle che l'artista abbandonasse quel lavoro e si mettesse a dipingere la volta[2] della Cappella Sistina. Michelangelo non voleva, poiché non conosceva tanto bene l'uso dei colori e sapeva che quello sarebbe stato un lavoro faticoso. Ma non riuscì a far cambiare idea al terribile Giulio II il quale, oltre tutto, metteva fretta all'artista.

Scrive il Vasari: «Il Papa, vedendo spesso Michelangelo gli diceva: "Che la cappella si arricchisca di colori e d'oro, che l'è povera". Michelangelo rispondeva: "Padre santo, in quel tempo gli uomini non portavano addosso oro, e quelli che son dipinti non furon mai troppo ricchi, ma santi uomini perché sprezzaron le ricchezze". Fu pagato in più volte a Michelangelo dal Papa, a conto di questa opera, tremila scudi, che ne dovette spendere di colori venticinque. Fu condotta questa opera con suo grandissimo disagio dello stare a lavorare col capo all'insù, e talmente aveva guastata la vista, che non poteva leggere lettere, né guardar disegni, se non all'insù».

Anche con i Papi successivi la vita non fu facile per Michelangelo che, con il passare degli anni, era sempre più tormentato da un suo dramma spirituale.

Il «Giudizio universale», dipinto dietro l'altare della Sistina tra il 1536 e il 1541, porta il segno dei tempi e della difficile vecchiaia del suo pittore. È questo grande affresco, dove non c'è più traccia della serena armonia classica, il simbolo della fine della grande avventura rinascimentale.

1. ***Scorticare:*** togliere la pelle.
2. ***Volta:*** soffitto le cui superfici sono curvate ad arco.

L'Italia sotto il dominio spagnolo

La pace di *Cateau-Cambrésis* nel 1559 mise fine alle guerre tra Francia e Spagna che avevano combattuto a lungo per dominare l'Europa. Per l'Italia fu l'inizio del lungo dominio spagnolo che sarebbe durato fino alla pace di *Utrecht* (1713).
Padrona del Ducato di Milano, di Napoli, della Sicilia e della Sardegna, strettamente legata al Papa, la Spagna, nella seconda metà del Cinquecento, controllava quasi tutti gli altri governi italiani, in particolare quello di Genova e quello di Firenze.
Fu il periodo del dominio spagnolo un periodo di pace per l'Italia, ma anche di decadenza economica, civile e culturale. Non tutto finì da oggi a domani, anzi, per tutto il Cinquecento l'economia e la cultura italiana continuarono a fiorire; e non di tutto fu colpevole la Spagna, ma nel Seicento la decadenza italiana sarà una realtà molto grave.
La vivace attività economica delle città italiane della seconda metà del Quattrocento era divenuta sempre più lenta. Le merci italiane, rare e belle, ma anche costose non erano più vincenti sui mercati europei. La ricca borghesia, che vedeva ridotte le possibilità del commercio da quando la scoperta dell'America aveva tolto importanza ai porti del Mediterraneo, aveva cominciato a comprare terre e a costruirsi ville in campagna. La vita economica tendeva così a spostarsi dalla città alla campagna e a divenire sempre più immobile e povera.
La Spagna, da parte sua, non si curava dello sviluppo economico dei suoi domini. La sua unica preoccupazione era di ottenere più tasse possibili per mantenere il grandissimo lusso della corte di Madrid e sostenere le sue guerre. A pagare le tasse, come al solito, erano il popolo e la borghesia mentre i nobili godevano di grandi privilegi ed avevano molto potere. Gli Spagnoli, a cui i Signori italiani assomigliavano sempre più, nel modo di vestire, di comportarsi e anche di parlare, si assicuravano così la fedeltà dell'aristocrazia.
Il popolo era spesso affamato, oppresso dalle prepotenze dei nobili e dalle carestie.
In questo secolo poco felice ci fu anche la peste che colpì prima l'Italia del Nord e la Toscana, poi Napoli. Contro la peste i medici dell'epoca non conoscevano rimedi e i morti furono moltissimi. A Milano i 250.000 abitanti si ridussero a 60.000. Alessandro Manzoni[1], nei «Promessi Sposi» ci ha lasciato una descrizione, assai viva e ricca di particolari, delle tristi condizioni di questa città nei giorni della peste.
Tra il popolo c'era chi si ribellava all'oppressione e alla miseria mettendosi a fare il brigante e c'erano talvolta delle rivolte collettive, ma senza risultati.
È rimasta famosa la rivolta, scoppiata a Napoli nel 1647, per una nuova tassa sulla frutta che colpiva direttamente il popolo per il quale la frutta era alla base dell'alimentazione. Fra gli Stati italiani non sottoposti direttamente alla Spagna, solo Venezia riuscì a fare una politica veramente indipendente, nei

1. ***Alessandro Manzoni:*** nato a Milano nel 1785 dedicò la sua vita alla letteratura. Scrisse varie opere, in versi e prosa, morì nel 1873.
«I Promessi Sposi» è l'opera più famosa di Manzoni e forse il romanzo italiano più conosciuto.

Il Concilio di Trento. Il Concilio non riuscì a trovare un accordo tra la Chiesa cattolica e quella protestante. La sua azione però fu fondamentale per la riforma dei costumi del clero e per l'affermazione dell'autorità papale.

confronti degli Spagnoli e della Chiesa, e a conservare più a lungo la sua ricchezza.

I Papi invece si trovarono in perfetto accordo con la politica della Spagna. La Chiesa di Roma e i Sovrani spagnoli volevano ad ogni costo affermare la Controriforma e non esitarono a perseguitare e far tacere gli eretici. Il più illustre fra questi, Giordano Bruno, fu bruciato vivo in Campo dei Fiori, a Roma, nel 1600.

Vi furono anche dei Papi moderati e buoni eredi dei grandi Papi del Rinascimento, ma il Concilio di Trento aveva riaffermato rigidi principi e i Gesuiti[2] difendevano con forza il Cattolicesimo come verità assoluta.

Intanto la città di Roma, centro del rinnovato Cattolicesimo, veniva arricchita di chiese, palazzi, ville, fontane costruite nel costoso stile «barocco» ad opera soprattutto del Bernini[3] e del Borromini[4].

Per far posto alle nuove costruzioni non si esitò a distruggere interi quartieri medioevali.

Per avere il denaro necessario per pagare i materiali, mantenere gli artisti e gli operai si mettevano nuove tasse e si sfruttava la campagna, senza curarsi in alcun modo dello sviluppo dello Stato.

Lo Stato pontificio cominciò così la sua storia di decadenza che toccherà il punto più basso nel Settecento.

2. ***Gesuiti:*** si chiamano Gesuiti i membri della Compagnia di Gesù. Questo ordine religioso fu fondato nel 1537 dallo spagnolo Ignazio di Loyola ed ebbe, fin dall'inizio, una disciplina di tipo militare.
I Gesuiti si considerano soldati della fede, impegnati a combattere all'ordine del Papa. Le armi sono la predicazione, l'educazione, la diffusione della stampa cattolica. Hanno fondato scuole e collegi dove si dà una severa istruzione di tipo umanistico e che vengono frequentate da giovani delle categorie sociali più alte. I Gesuiti furono anche consiglieri di Principi e uomini di Stato ed ebbero in certi periodi grande influenza politica.

3. ***Gian Lorenzo Bernini:*** architetto, scultore, pittore (Napoli 1598-Roma 1680). La sua architettura guarda all'arte romana dei sec. II e III d.C. e ne ripropone alcuni elementi con gusto molto originale. La scultura ha una grande potenza figurativa, raffinata e di tipo ellenico. Fra le opere ricordiamo, a Roma, la fontana del Tritone, la fontana delle Alpi e quella di piazza Navona, il baldacchino della Basilica e il colonnato della piazza San Pietro.

4. ***Francesco Borromini:*** (Lugano, 1599-Roma, 1667) lavorò a lungo come intagliatore di marmi e fu alle dipendenze del Bernini. Fu creatore di forme architettoniche assai originali in puro stile barocco. Tra le sue opere ricordiamo la trasformazione del San Giovanni in Laterano e la Chiesa di S. Agnese, in piazza Navona, a Roma.

Galileo fondatore della scienza moderna

La decadenza politica ed economica dell'Italia del Seicento fu accompagnata da un profondo cambiamento nei gusti, nella cultura e nell'arte. Prevale in questo secolo lo stile barocco basato soprattutto sulla fantasia degli artisti, sui forti effetti di luci ed ombre, sulla ricchezza degli ornamenti.
Tipicamente rinascimentale è invece lo spirito della cultura scientifica chc si arricchì del più grande scienziato di tutti i tempi: Galileo Galilei.
Nacque a Pisa nel 1564, tre giorni prima che morisse a Roma Michelangelo Buonarroti. Fin da giovanissimo rivelò speciali attitudini per la musica, il disegno, la fisica, la matematica, ma il padre, ottimo musicista con pochi soldi e molti figli, voleva che diventasse medico; uno di quei medici famosi che i Signori pagavano con generosità.
Galileo non prenderà la laurea in medicina, né nessuna altra laurea, ma si dedicherà agli studi di matematica e allo studio

Ritratto di Galileo, il fondatore del metodo scientifico sperimentale.

della natura con il metodo sperimentale. Prima di affermare ciò che egli riteneva la verità, provava e riprovava, osservava, misurava, controllava direttamente l'esperienza.
A diciannove anni aveva già scoperto le leggi del pendolo e a venticinque la sua fama era tale che fu incaricato dell'insegnamento della matematica nell'Università di Pisa e poi in quella di Padova. Riuscì a realizzare un cannocchiale e con quello fece le sue scoperte più famose. Osservando la luna, il sole, le stelle si convinse che il polacco Nicola Copernico aveva ragione quando aveva detto che non era la Terra, ma il Sole a stare fermo.
Nel 1616 la Chiesa condannò la teoria di Copernico come eretica e il Papa Paolo V ordinò al cardinale Bellermino di chiamare Galilei ed invitarlo a rinunziare alle opinioni da lui sostenute a favore di quella teoria. Qualcuno aveva denunciato lo scienziato al tribunale della Chiesa.
Galilei non aveva un buon carattere, con facilità dava del cretino e del somaro a chi lo meritava, senza riguardo per la posizione sociale delle persone.
Alla richiesta del cardinale, Galilei rispose che avrebbe ubbidito e fu sospesa ogni altra pratica.
Ma alcuni anni dopo lo scienziato pisano pubblicava la sua più grande opera, «Dialogo sopra i due massimi sistemi» in cui riaffermava che la Terra si muove girando intorno al Sole. Dovette partire ancora una volta per Roma, fu processato e, sotto la minaccia della tortura, fu costretto a pronunciare una solenne abiura[1] dei suoi errori: «Io Galileo dell'età mia di 70 anni, inginocchiato davanti a voi Cardinali Inquisitori, perché da questo Santo Officio sono stato giudicato sospetto di eresia..., con cuor sincero e fede non finta abiuro, maledico e detesto li suddetti errori, e giuro che per l'avvenire non dirò più cose tali per le quali si possa aver di me simil sospizione[2]; ma se conoscerò alcun eretico... lo denunzierò a questo Santo Uffizio. Io Galileo... ho abiurto, giurato, promesso...: e in fede del vero..., ho sottoscritto..., in Roma, nel Convento della Minerva, questo dì 22 giugno 1633».
Fu condannato al carcere a vita, ma poiché era vecchio e quasi cieco gli fu permesso di rimanere, sotto sorveglianza, nella sua villa di Arcetri (Firenze).
Un fisico moderno ha detto che «l'atteggiamento scientifico e i metodi della ricerca sperimentale e teorica sono rimasti gli stessi attraverso i secoli dall'epoca di Galileo e tali rimarranno».

1. ***Abiura:*** solenne rinunzia ad affermazioni considerate eretiche in materia di fede religiosa.
2. ***Sospizione:*** sospetto.

Da un dominio all'altro

Dai tempi del trattato di *Cateau-Cambrésis* fino agli inizi del sec. XVIII non c'erano stati cambiamenti nella composizione politica della penisola italiana. Ma quando in Europa iniziò il periodo delle guerre di successione, con le quali la Spagna perse gran parte del suo potere, i piccoli Stati italiani divennero «merce» da dividere fra le grandi potenze europee; con essi si poteva compensare questo o quel Sovrano che aveva perso qualcosa.
Accadde così che in poche decine di anni alcuni Stati italiani si trovarono più volte a passare da una sovranità all'altra. Nel 1748, data del trattato di Aquisgrana, lo Stato di Milano era passato dalla dominazione spagnola a quella austriaca, Parma dalla Signoria dei Farnese a quella dei Borboni, Firenze da quella dei Medici (l'ultimo discendente della famiglia era morto nel 1737) a quella dei Lorena[1]. Napoli e la Sicilia, dopo due secoli di dominio spagnolo, erano tornati ad essere indipendenti ed erano stati «regalati» ai Borboni. La Sardegna era infine stata assegnata ai Savoia.
Non ci furono cambiamenti per le Repubbliche di Genova, Venezia e Lucca, per il Piemonte e, naturalmente, per lo Stato pontificio.
Questa sistemazione rimarrà immutata fino all'arrivo di Napoleone Bonaparte.
Poiché i nuovi Sovrani erano attivamente inseriti nel quadro di sviluppo politico ed economico europeo, la penisola italiana uscì finalmente dal suo isolamento.
Con il sec. XVIII siamo, come è ben noto, in piena rivoluzione agricola e alla vigilia della grande rivoluzione industriale ingle-

1. Francesco I di Lorena era marito di Maria Teresa d'Austria.

La famiglia imperiale di Maria Teresa d'Austria. Il quadro del pittore di corte van Meytens è un prezioso documento della moda del '700.

se. Siamo nel secolo dei «lumi»: dopo la lunga crisi del Seicento, l'Europa moderna, l'Europa borghese sta per conquistare il mondo. All'Italia l'Europa chiede soprattutto i prodotti agricoli necessari a nutrire la sua popolazione che cresce ogni giorno. In Italia c'è un grande sviluppo dell'agricoltura e un generale interesse verso la campagna di cui si occupano anche poeti e letterati.

Quanto a sviluppo agricolo era senza dubbio la Lombardia ad occupare il primo posto, ma questa regione non era più avanzata delle altre dal punto di vista sociale e politico. L'amministrazione austriaca, sotto gli Imperatori Maria Teresa e Giuseppe II, cercò di porvi rimedio.

Vi furono trenta anni (1760-1790) di riforme che riguardarono tutti i settori della vita pubblica. Tra le più importanti ricordiamo quella fiscale[2] con cui venivano finalmente fatte pagare le tasse anche sui beni immobili e sui terreni. Furono soppressi numerosi conventi e le loro rendite impiegate per la pubblica istruzione. Fu sciolto l'Ordine dei Gesuiti e chiuse le loro scuole, mentre fu ingrandita l'Università di Pavia.

«Il Milanese – scriveva Pietro Verri[3] – fu sotto Maria Teresa tanto felice quanto è possibile esserlo sotto un governo assoluto».

Anche la Toscana, con Pietro Leopoldo di Lorena ebbe il suo periodo di riforme. L'opera del governo fu frenata dai proprietari terrieri che non avevano il coraggio di mettersi sulla strada di un vero rinnovamento agricolo, troppo preoccupati di difendere i loro interessi immediati. La Toscana potè tuttavia vantarsi di aver abolito per prima la tortura e la pena di morte, mettendo in atto le idee di Cesare Beccaria[4].

A Napoli e in Sicilia invece l'età delle riforme passò senza produrre grandi risultati. Anche qui si cercò di abolire i privilegi della Chiesa, ma si fece ben poco per abolire quelli dei «baroni», cioè i grandi proprietari terrieri. Essi sfruttavano terre e contadini, vivevano in città senza neppure conoscere i propri terreni, sprecavano grosse somme di denaro in un lusso assurdo. E i Borboni, loro nuovi Sovrani, non erano da meno.

Grandi rinnovamenti dunque in Lombardia e Toscana, pochi nel Regno di Napoli, nessuno a Genova, Venezia e Roma dove tutto decadeva e invecchiava ogni giorno di più.

Anche il Piemonte dei Savoia era, nel quadro generale dell'Italia della seconda metà del Settecento, arretrato e depresso sia dal punto di vista politico sia da quello culturale. E riesce difficile collegare questa situazione con il ruolo che proprio il Piemonte dei Savoia svolgerà, nel secolo successivo, nelle vicende della storia italiana.

2. ***Fiscale:*** che riguarda l'imposizione e la riscossione delle tasse da parte della pubblica amministrazione.

3. ***Pietro Verri:*** nato e morto a Milano (1728-1797). Dedicò la sua attività di pensatore e scrittore al miglioramento della società e della vita. Diresse il periodico il «Caffè», che fu pubblicato per due anni ogni dieci giorni, e che aveva come scopo quello di risvegliare la borghesia italiana e favorire il progresso.

4. ***Cesare Beccaria:*** giurista ed economista, nato e morto a Milano (1738-1794). Divenne famosissimo per aver pubblicato una piccola opera contro la tortura e la pena di morte: «Dei delitti e delle pene».

L'Italia napoleonica

Quando scoppiò la Rivoluzione francese, in Italia l'epoca delle riforme stava finendo e fra coloro che le avevano sostenute non mancò chi fece propri i principi rivoluzionari. Da questi e da molti giovani l'arrivo dei Francesi, guidati da Napoleone Bonaparte, fu accolto con entusiasmo e grandi speranze di libertà.

In un primo tempo le speranze sembrarono divenire realtà. I vecchi Sovrani furono cacciati dai loro troni e fu formata, nell'Italia settentrionale, la Repubblica Cisalpina che aveva Milano come capitale, disponeva di un suo esercito e di una sua bandiera. Era stata scelta una bandiera di tre colori: verde, bianco e rosso.

Ma arrivarono presto le delusioni. Genova non fu unita alla Cisalpina, Venezia e gran parte del Veneto furono assegnate all'Austria, il Piemonte fu direttamente unito alla Francia.

La Cisalpina stessa non fu mai veramente libera. I suoi governi erano controllati da uomini di fiducia di Napoleone e dal governo francese. Fu sempre forte il peso dell'occupazione militare con le continue richieste di denaro e beni alimentari, i furti di opere d'arte.

Anche nelle altre due Repubbliche, la Romana e la Partenopea, costituite quando Napoleone aveva già lasciato l'Italia per l'Egitto, vi fu più o meno la stessa situazione.

Pur con i molti limiti comunque, i due anni della presenza francese in Italia contarono qualcosa nella storia dell'Italia moderna. Per la prima volta infatti si erano abbattuti i confini dei piccoli Stati, e Italiani di diverse regioni si erano trovati insieme nel governo della Cisalpina. Nell'estate del 1799 i Francesi venivano cacciati dall'Italia e i vecchi Sovrani, tornati sui loro troni, mandavano a morte quelli che avevano collaborato con i governi repubblicani.

Meno di un anno dopo Napoleone, divenuto l'uomo più potente della Francia, tornò in Italia. Non parlava più di libertà e di uguaglianza, ma di ordine e di buona amministrazione. E in effetti darà all'Italia, per quasi quindici anni, tranquillità e ordine rendendo così possibile anche un discreto sviluppo economico.

Riunì Lombardia, Veneto, Romagna e Marche sotto il Regno d'Italia, di cui lui stesso divenne Re, mentre il Piemonte, la Liguria, la Toscana, l'Umbria e il Lazio furono direttamente uniti all'Impero francese. Il Regno d'Italia, come già era successo per la Cisalpina, non fu veramente indipendente; invano Eugenio *Beauharnais,* nominato Vicerè[1], chiedeva a Napoleone di poter essere autonomo nelle decisioni. Si dice che l'Imperatore gli avesse scritto che se Milano bruciava, doveva lasciarla bruciare in attesa dei suoi ordini.

Nel 1806 Napoleone proclamò decaduta la dinastia dei Borboni che erano tornati sul trono nel 1799, e assegnò il Regno di Napoli prima al fratello Giuseppe e poi al cognato Gioacchino

1. ***Vicerè:*** funzionario incaricato di esercitare il potere regio, in nome del Re, in una parte del Regno dove il Re non ha la sua abituale residenza. Si premette «vice» ai nomi indicanti cariche o uffici, per indicare la persona che in mancanza del titolare ne assume i poteri e le funzioni (vicepresidente, vicesindaco, vicedirettore, ecc.).

Murat. Nella storia di Napoli il periodo napoleonico è ricordato come un'età felice, caratterizzata dal buon governo, in mezzo a secoli di cattive amministrazioni. In effetti Gioacchino *Murat* cercò di limitare al massimo il potere dei funzionari francesi e dette a Napoli un'amministrazione più moderna ed efficiente. Neppure le riforme napoleoniche tuttavia toccarono gli interessi dei grandi proprietari terrieri del Sud e i rapporti sociali, sia in campagna sia in città, rimasero immutati.
Quando, con la sconfitta di Lipsia, fu chiaro a tutti che per Napoleone era finita, Eugenio *Beauharnais* a Milano e Gioacchino *Murat* a Napoli cercarono di staccarsi da lui con la speranza di salvare le loro corone e i loro Regni.
Né l'uno né l'altro ci riuscirono e in Italia, come nel resto dell'Europa, tutto tornerà come prima.

Napoleone Bonaparte (ritratto di Gros, 1797).

Il «Quarto Stato» di Giuseppe Pellizza da Volpedo, Milano, Museo d'Arte Moderna. ►

Parte IV

Tutto come prima

Dopo la sconfitta di Napoleone si riunì a Vienna nel 1814 un Congresso generale di tutti gli Stati per ridare ordine all'Europa.
Il Congresso stabilì che dovevano tornare sul trono tutti coloro che erano stati fatti legittimi Re «per grazia di Dio» e questo principio fu applicato con grande attenzione alla penisola italiana.
A ciascun Sovrano fu così restituito il suo territorio: all'Imperatore d'Austria il regno Lombardo-Veneto con la Repubblica di Venezia, ai Savoia la Sardegna, con il Piemonte e in più Genova, ai Borboni il Regno di Napoli e la Sicilia, ai Lorena la Toscana, al Papa lo Stato pontificio (Lazio, Umbria, Marche, Romagna). Non si fece eccezione neppure per i piccoli Ducati, anzi questi servirono per accontentare quei Sovrani che nella divisione erano rimasti sacrificati, ignorando del tutto il principio di «nazionalità» per il quale avevano lottato i rivoluzionari. Con le vecchie frontiere politiche ritornarono anche le frontiere economiche. Le merci che andavano da un posto all'altro della penisola erano costrette a pagare tante tasse di entrata e di uscita quanti erano gli Stati che esse attraversavano. Tutti gli Stati facevano una politica economica che proteggeva soprattutto gli interessi della capitale e della corte. Si comprende facilmente

come tutto ciò non abbia favorito gli scambi commerciali né culturali, bensì abbia aumentato le differenze regionali e lo sviluppo di poche città. Si ebbe dunque una vera Restaurazione [1] economica oltre che politica, anche se non ugualmente rigida in tutti gli Stati.

Certamente fu il Piemonte lo Stato dove più che altrove tutto tornò come prima. Il re, Vittorio Emanuele I di Savoia, tornò a Torino vestito come venti anni indietro con la parrucca [2] e la coda [3], sembrando ridicolo agli stessi giovani del tempo.

Massimo d'Azeglio, uomo politico piemontese e scrittore ce ne ha lasciato una divertente descrizione:

«Il 20 maggio finalmente arrivò questo Re tanto annunziato e benedetto. Io mi trovavo in piazza Castello, ed ho presente benissimo il gruppo del Re col suo stato maggiore. Vestiti all'uso antico colla cipria, il codino e certi cappelli alla Federico II, tutt'insieme erano figure abbastanza buffe...

Il buon Re con quella sua faccia, via diciamolo, un po' di babbeo [4] ma altrettanto di galantuomo [5], girò fino al tocco dopo mezzanotte passo passo le vie di Torino, fra gli evviva della folla, distribuendo sorrisi e saluti a diritta e a sinistra; il che portava, per meccanica conseguenza, un incessante spazzolare da sinistra a diritta di quella sua coda, tanto curiosa ormai per i giovani della mia età».

Vittorio Emanuele I, insieme a code e parrucche, riportò a Torino le vecchie leggi, i vecchi Gesuiti e una politica economica quanto mai chiusa che colpì duramente il porto di Genova.

1. ***Restaurazione:*** il ritorno di un assetto politico tradizionale dopo un'interruzione.

2. ***Parrucca:*** capigliatura finta usata per abbellimento (specialmente nel sec. XVIII), per mascherarsi o truccarsi.

3. ***Coda:*** la parrucca dei nobili settecenteschi finiva dietro con una treccia di capelli, detta «coda». La Rivoluzione Francese abolì quest'uso che non rispettava lo spirito di uguaglianza. Quelli che dopo il 1814 si rimisero parrucche e code erano chiaramente desiderosi di tornare ai vecchi tempi e furon perciò detti «codini», cioè reazionari, antiliberali.

4. ***Babbeo:*** sciocco, semplicione.

5. ***Galantuomo:*** uomo onesto e leale nei rapporti con gli altri. Nel Meridione il termine si usa, e soprattutto si usava, per indicare una persona di riguardo, chi non era contadino, ma aveva terra e soldi.

Ubbidire e tacere

Negli ultimi decenni del 1700 nei vari Paesi europei, e prima di tutto in Inghilterra, era cominciato lo sviluppo industriale con i profondi cambiamenti sociali che tutti conosciamo.
Nella penisola italiana invece, ai tempi del Congresso di Vienna, l'attività più importante era ancora l'agricoltura e nelle campagne circolava poco denaro. In seguito, la divisione politica creata dal Congresso, la politica economica dei singoli Stati (che cercavano prima di tutto di proteggere i propri prodotti) e le difficoltà di comunicazione non favorirono né lo sviluppo dell'industria né quello del commercio.
E in questa economia, generalmente arretrata, lo stato dell'istruzione non era davvero buono.
A parte i collegi dei preti, soprattutto dei Gesuiti, che davano l'istruzione secondaria classica ai figli dei signori, per i figli del popolo (in grande maggioranza analfabeta [1]) c'erano poche iniziative promosse dalla carità pubblica o privata.
L'educazione era per tutti assai severa ed autoritaria; anche nelle famiglie della buona società i ragazzi dovevano ubbidire e tacere.
Si faceva per loro addirittura un ordine del giorno scritto che doveva essere seguito in modo molto preciso; si punivano severamente i giovani ribelli. L'ordine del giorno, per i più piccoli che non andavano ancora a studiare greco e latino dai Gesuiti, comprendeva anche alcune ore di studio fatte sotto la guida di un maestro privato o precettore.
I più fortunati dei figli del popolo andavano invece in scuole tenute da strani maestri con scarsa istruzione e ancora più scarsa conoscenza delle teorie dell'educazione, che facevano scuola con le nerbate [2]. Da una testimonianza dell'epoca apprendiamo quanto questi bambini dovessero soffrire per imparare a leggere e a scrivere.
«Avevo sei anni, quando venni accompagnato e presentato alla mia prima maestra. Maestra per modo di dire: una donnetta rintanata in un'oscura umidissima casa nei pressi di Campo dei Fiori [3]. Un tetro stanzone, e null'altro che una serie di seggioline in fila, dove si passava il tempo obbligati a sedere, ripetendo a voce alta, di tanto in tanto, insulse filastrocche e orazioni storpiate... Fui in seguito mandato a scuola da un uomo. Il maestro era vecchio, con lunghi capelli bianchi; all'affievolita energia dell'età avanzata, suppliva agitando in aria e battendo sonoramente sul tavolo e facendo spesso cadere sulle nostre tenere spalle un terribile nerbo di bue».
Certamente anche la mancanza di istruzione contribuì in quegli anni a creare un popolo generalmente rassegnato. La borghesia ricca e istruita fu alla guida del Risorgimento [4].
In questo quadro generale della società italiana all'epoca della Restaurazione è tuttavia importante distinguere un po' fra Nord e Sud. Se l'economia era ovunque basata sull'agricoltura, il Piemonte, il Veneto e soprattutto la Lombardia mostra-

1. ***Analfabeta:*** chi non sa né leggere né scrivere.

2. ***Nerbata:*** colpo dato con il nerbo. È il nerbo una corta frusta di tendini di bue essiccati e intrecciati, che un tempo veniva usata come strumento di correzione o punizione.

3. Le scuole descritte si trovavano a Roma.

4. ***Risorgimento:*** si indica con questo nome il periodo storico che vide l'affermazione dell'indipendenza e dell'unità d'Italia (1815-1871).

vano tecniche di coltivazione più avanzate e redditi migliori. In Lombardia si stava inoltre sviluppando l'industria tessile della seta, del cotone e anche della lana.

Chateaubriand[5], in una lettera ad un amico del 21 giugno 1803, trova che le città e le campagne dell'Italia del Nord, sono ricche, e più belle di quelle francesi.

Nel Meridione invece, dove non c'era stato un vero sviluppo della borghesia cittadina, la società aveva ancora molti aspetti feudali. I grandi proprietari non cercavano di portare miglioramenti nelle proprie terre, ma di avere maggiori redditi sfruttando i contadini che vivevano in condizioni di grande miseria ed ignoranza.

Nel corso dell'Ottocento questa differenza di sviluppo fra l'Italia del Nord e l'Italia del Sud aumenterà fortemente fino a creare quella profonda frattura che non è ancora del tutto scomparsa.

5. ***François René Chateaubriand:*** scrittore, letterato, uomo politico francese (*Saint-Malo*, 1768 - Parigi, 1848).

Bisogna scacciare i lupi dal bosco

Tra il periodo napoleonico e il primo ventennio [1] dell'Ottocento in Europa erano nate molte Società segrete.
In Italia la prima che svolse un'azione organizzata fu la Carboneria.
Essa fu presente nell'Italia meridionale già verso il 1806, ma solo più tardi si diffuse nel Nord, dove molti giovani intellettuali cercavano di opporsi alla Restaurazione.
Non ci fu mai un programma unico in tutte le zone in cui c'erano gruppi di carbonari, ma due principi erano comuni: la necessità di ottenere una Costituzione e la necessità di liberarsi dalla dominazione straniera.
Ogni sezione della Carboneria era organizzata rigidamente e i capi non informavano i soci dei programmi della sezione. Fra carbonari si usava un linguaggio particolare in cui «andare a far carbone» significava fare giri di propaganda e «scacciare i lupi dal bosco» togliere di mezzo i nemici della libertà.

1. ***Ventennio:*** periodo di venti anni. Come «ventennio» si usano molto anche «decennio» (dieci anni) e «trentennio» (trenta anni). Più rari «quarantennio», «cinquantennio», ecc.

Tessera di affiliazione alla Carboneria ornata dei simboli della società, tra cui il nastrino tricolore della libertà.

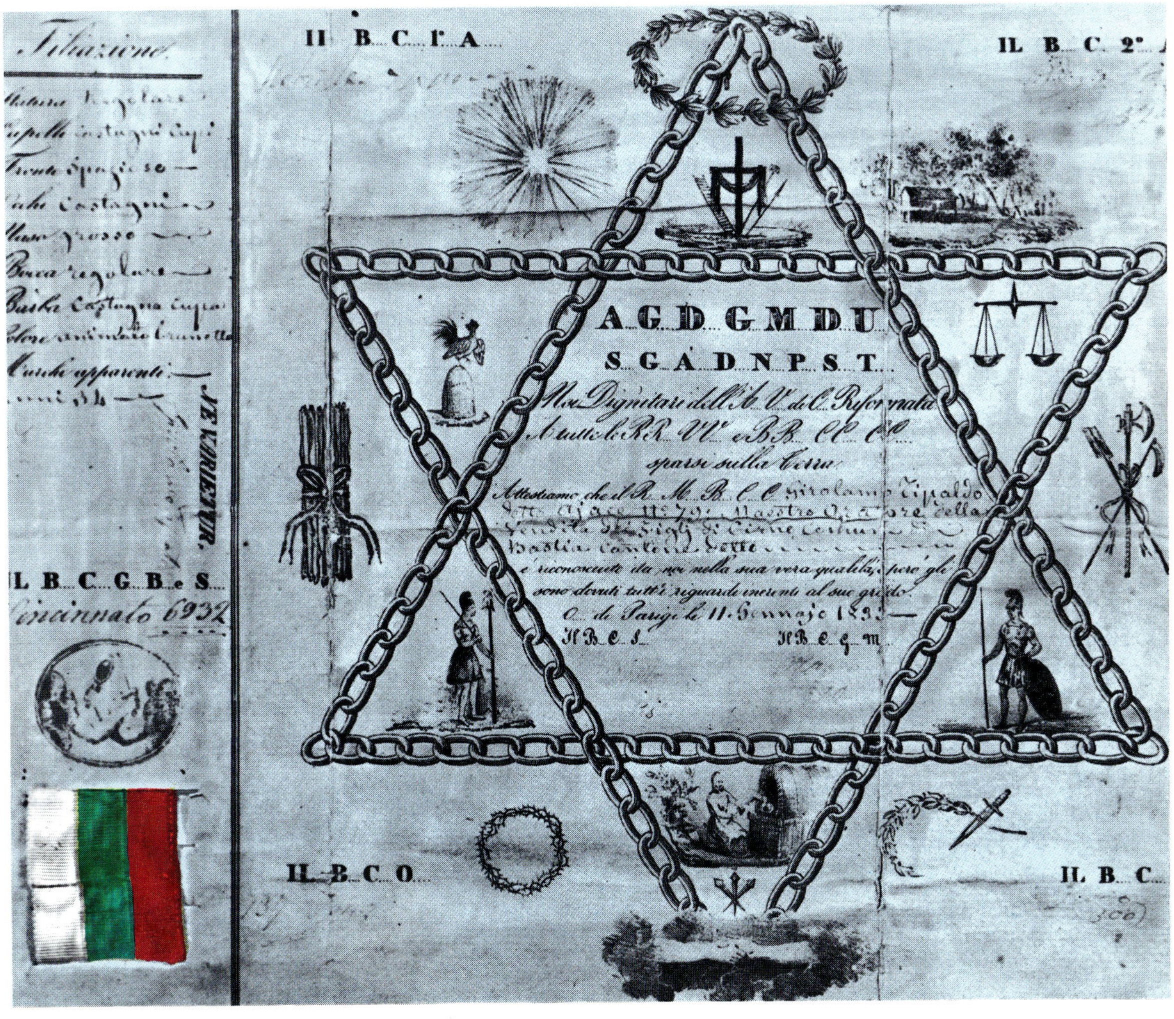

Ma scacciare i lupi dal bosco si rivelò meno facile di quanto pensassero i carbonari, che erano per la maggior parte intellettuali romantici [2] con scarso senso pratico e organizzativo.
Si ebbero tra il 1820 e il 1821 rivolte in varie città dell'Italia centrale e meridionale con lo scopo di ottenere una Costituzione così come era accaduto in Spagna.
Dopo un primo successo dei carbonari, raggiunto soprattutto per la debolezza del Re di Napoli e del Principe piemontese Carlo Alberto, i legittimi Sovrani rimisero le cose a posto. I ribelli sconfitti furono severamente puniti. Non solo ci furono arresti e condanne a Napoli e in Piemonte, dove c'erano stati gli episodi di rivolta, ma anche nel Lombardo-Veneto l'Austria condannò duramente i carbonari che riuscì a trovare. Tra questi c'erano Silvio Pellico, Pietro Maroncelli e il nobile milanese Federico Confalonieri che passarono molti anni nel carcere dello Spielberg, in Moravia.
Silvio Pellico ricorda la dura vita dello Spielberg nel suo libro «Le mie prigioni»:
«Il carcere duro significa essere obbligati al lavoro, portare la catena ai piedi, dormire su nudi tavolacci e mangiare il più povero cibo immaginabile».
Il libro, pubblicato a Torino alla fine del 1832, divenne molto popolare e sollevò contro l'Austria l'opinione pubblica di mezza Europa, commossa dalle sofferenze di questi uomini che dovevano subire gravi pene senza aver commesso alcun delitto.

2. ***Romantico:*** che seguiva le teorie cultuali del Romanticismo. Il Romanticismo entra ufficialmente in Italia con la pubblicazione, nel 1816, di una lettera di *Madame de Staël* in cui si invitano i letterati italiani a prendere conoscenza delle nuove correnti letterarie europee. Così anche in Italia si proclamarono i diritti della fantasia e della spontaneità contro quelli dell'intelletto e delle leggi letterarie, si riscoprì l'importanza della storia e delle tradizioni contro il dominio della ragione.
I nomi più illustri del Risorgimento italiano furono Alessandro Manzoni e Giacomo Leopardi.

Giuro di fare l'Italia una, indipendente, libera, repubblicana

Magro, pallido, con gli occhi scurissimi e l'espressione seria; così ci appare nei vari ritratti Giuseppe Mazzini, il personaggio forse più grande e affascinante del Risorgimento.
Nato a Genova nel 1805, si era laureato in legge e ben presto aveva dovuto emigrare in Francia perché gli Austriaci avevano scoperto che faceva parte della Carboneria.
Pensò in un primo tempo che i Sovrani del Piemonte potessero mettersi a capo del movimento per la libertà italiana, e nel 1831 scrisse perfino una lettera al nuovo Re Carlo Alberto per invitarlo a fare ciò. Il Re non rispose e Mazzini ebbe la conferma della sua opinione negativa sulla Monarchia e vide nella Repubblica l'unica soluzione per ottenere l'unità d'Italia.
Fu un rivoluzionario filosofo, e lui stesso affermava che «pensiero e azione» dovevano assolutamente essere uniti. Portò nella lotta politica, considerata una missione[1], una grande serietà e un impegno morale; conservò questo atteggiamento, tipico dei giovani, per tutta la vita, nonostante i fallimenti e le delusioni.
Nel 1831 fondò una nuova Società segreta, «La Giovane Italia». Chi diventava socio giurava di costituire «l'Italia in Nazione una, indipendente, libera, repubblicana». Nella formula del giuramento, molto bella, sono contenuti tutti i principi del pensiero mazziniano: il primo dice che la vera rivoluzione poteva essere opera solo del popolo. Il popolo doveva essere educato alle idee rivoluzionarie e della Società.
Mazzini era profondamente convinto che i precedenti tentativi erano andati male perché erano stati condotti da piccoli gruppi di intellettuali, senza partecipazione popolare. Egli sapeva che per trascinare le masse sulla via della rivoluzione era necessario dare loro delle prospettive di miglioramenti reali; ma era contrario alle lotte sociali e poco preparato a livello pratico.
Così anche la «Giovane Italia» rimase un movimento di pochi e le varie rivolte organizzate nel decennio 1830-1840 furono senza successo e finirono con l'esilio o la morte di molti giovani.
Lo stesso Mazzini, che intanto era andato a Londra, preso da grande dolore per la perdita dei compagni, cominciò a dubitare di tutto quanto aveva costituito la sua forte fede politica.
«Forse io erravo e il mondo aveva ragione. Forse l'idea che io seguivo era sogno... Quante madri avevano già pianto per me! Quante piangerebbero ancora se io m'ostinassi nel tentativo di risuscitare a forti fatti, al bisogno d'una Patria comune la gioventù dell'Italia? E se questa Patria non fosse che una illusione?».

1. ***Missione:*** funzione a cui si dà una notevole importanza sul piano morale e sociale che richiede dedizione e spirito di sacrificio.

Ritratto di Giuseppe Mazzini, fatto nel 1865 a Londra. Si trova oggi a Milano nel Museo del Risorgimento.

Succede un quarantotto

Il 1948 fu un anno molto agitato per tutta l'Europa con le sue rivoluzioni repubblicane, ma per l'Italia esso fu addirittura l'anno delle «meraviglie». Accade di tutto, anche quello che non ci si aspettava.

E tutto accadde in modo così rapido e confuso che ancora oggi si usa l'espressione «fare un quarantotto» nel senso di fare grande confusione, portare disordine.

Il primo fatto imprevisto fu l'elezione del nuovo Papa Pio IX che aveva solo cinquantaquattro anni e che venne accolto dal popolo con grandi speranze e grande entusiasmo. In effetti Pio IX fu un po' liberale, concesse l'amnistia per le colpe politiche e una maggiore libertà di stampa.

Anche a Firenze e a Torino i Sovrani dovettero fare altrettanto e intanto ovunque aumentava l'odio contro l'Austria e il desiderio di indipendenza.

Dopo la libertà di stampa fu la volta delle Costituzioni. Il primo a doverne concedere una fu il Re di Napoli, subito seguito dai Lorena di Toscana, dai Savoia e dallo stesso Pio IX.

Il 18 marzo esplose la rivoluzione a Milano, e nelle famose 5 giornate il popolo milanese, con l'aiuto dei contadini e degli abitanti delle città vicine, riuscì a far fuggire i soldati austriaci.

Anche a Venezia gli Austriaci furono vinti e fu proclamata la Repubblica.

Nello stesso giorno in cui Milano aveva ottenuto la vittoria, le truppe piemontesi con a capo il Re Carlo Alberto invadevano la Lombardia.

Cominciava così la I guerra di indipendenza contro l'Austria. In un primo momento sembrava che tutto potesse andare bene poiché anche dalla Toscana, dallo Stato pontificio e da Napoli erano giunti aiuti militari. Presto però i Sovrani, pentiti dell'aiuto dato al Piemonte, richiamarono le proprie truppe e fu chiaro che lo stesso Carlo Alberto faceva la guerra con la speranza di ingrandire il Regno dei Savoia più che per liberare l'Italia.

Alcuni errori militari commessi da Carlo Alberto, Re del Piemonte permisero all'Austria di vincere senza eccessive difficoltà. Nella primavera del '49 quasi tutto era rientrato nel vecchio ordine ed erano andate deluse le speranze di indipendenza e di libertà degli Italiani.

Le ultime a cedere furono la Repubblica di Venezia e quella di Roma, che era nata agli inizi del '49 in seguito alla fuga di Pio IX a Gaeta.

Non fu tuttavia inutile aver fatto questo «gran quarantotto». A differenza del 1821 e del 1831, la partecipazione popolare era stata notevole. Inoltre l'idea dell'indipendenza e della libertà italiana era andata troppo avanti nei rivoluzionari come nei moderati, nei borghesi come nel popolo, perché potesse essere facilmente fermata.

Camillo Benso conte di Cavour.

Qualche cosa faremo

Dopo la fine della I guerra di indipendenza, nel piccolo Stato del Piemonte qualche cosa cominciò a cambiare. Il governo guidato da Massimo d'Azeglio fece sempre rispettare la Costituzione e portò avanti una politica di riforme[1], nonostante che il nuovo Re Vittorio Emanuele II fosse piuttosto conservatore.
Nel 1852 divenne primo ministro Camillo Benso conte di *Cavour*. Si racconta che quando egli era stato nominato ministro dell'agricoltura, essendo presente ad una discussione sull'Unità d'Italia fra Alessandro Manzoni ed altri scrittori dell'epoca, avesse ripetuto più volte: «qualche cosa faremo». E questa espressione banale suona come una profezia[2] detta da un uomo che non parlò mai molto ed amò sempre il realismo dei fatti.
Figlio minore di una famiglia nobile, il giovane *Cavour* aveva abbandonato la carriera militare, a cui era destinato, per conoscere il mondo e mettersi negli affari. Negli affari ebbe successo, poiché aveva il gusto di fare denaro e quello di spenderlo. Politicamente era un moderato, ma capì che era impossibile governare andando contro alle aspirazioni democratiche dei borghesi. Si assicurò la fiducia del Parlamento piemontese facendo un'alleanza con i gruppi più moderati della sinistra. Poté così portare avanti con tranquillità il suo programma di riforme che in pochi anni fecero del Piemonte uno Stato, assai sviluppato economicamente, in cui c'era un'effettiva libertà di stampa, di associazione e di insegnamento. Non dimentichiamo che *Cavour* fu un laico convinto che sostenne sempre la necessità di una libera Chiesa in un libero Stato.
Quanto alla politica estera, *Cavour* cercò di togliere il Piemonte dall'isolamento e di porre il problema italiano all'atten-

1. ***Riforma:*** atto del riformare per dare un ordine nuovo e migliore, per trasformare una situazione, una società, ecc.

2. ***Profezia:*** predizione di un evento futuro, dovuta a ispirazione divina o ad altro.

zione internazionale. Ci riuscì facendo partecipare il suo piccolo Stato alla guerra di Crimea a fianco di Francia e Inghilterra e costruendo ottimi rapporti con Napoleone III, Imperatore dei Francesi. Napoleone III pensava che fosse meglio aiutare il Piemonte a fare un'Italia monarchica prima che i mazziniani [3] riuscissero a farne una repubblicana.

Nel luglio 1858 fra *Cavour* e Napoleone III si gettarono le basi per un'alleanza che prevedeva l'intervento della Francia per liberare il Lombardo-Veneto se il Piemonte fosse stato aggredito dall'Austria.

A vittoria ottenuta si sarebbe formato un Regno d'Italia settentrionale (Piemonte, Lombardo-Veneto, Romagna, Ducati di Parma e Modena) governato dai Savoia. In cambio dell'aiuto ricevuto il Piemonte avrebbe ceduto alla Francia Nizza e la Savoia.

Cavour nella primavera del '59 riesce a farsi dichiarare guerra dall'Austria e le operazioni militari vanno subito bene per Francesi e Piemontesi uniti. Quando però negli Stati dell'Italia centrale vengono cacciati via i legittimi Sovrani ed è chiaro che il popolo vuole un'unione con il Piemonte, Napoleone III, per timore che i Savoia si ingrandiscano troppo, decide di sospendere la guerra.

La pace con l'Austria stabilì che fosse ceduta al Piemonte la sola Lombardia senza altri cambiamenti. *Cavour* e tutti gli Italiani furono ovviamente molto scontenti, ma lo furono anche i Francesi che, dopo aver combattuto per altri, dovevano rinunciare a Nizza e alla Savoia.

Sarà ancora una volta *Cavour*, con la sua rara abilità politica, a risolvere la situazione.

Nella primavera del 1860 attraverso dei plebisciti [4] la Toscana e l'Emilia furono unite al Piemonte, Nizza e la Savoia alla Francia.

3. ***Mazziniano:*** seguace di Mazzini.

4. ***Plebiscito:*** la parola viene dal latino; nella Roma repubblicana infatti *plebis scita* erano chiamate le norme votate dalla plebe. Indica la consultazione diretta del popolo su questioni di notevole importanza politica. Oggi, con significato simile, si usa il termine «referendum».

Vittorio Emanuele II Re d'Italia per grazia di Dio e volontà della nazione

Dopo la fine della guerra contro l'Austria condotta da *Cavour* con l'aiuto della Francia, i democratici, e soprattutto i mazziniani, ripresero a sostenere il programma di una completa unità italiana raggiunta con il popolo. Mazzini, intanto aveva continuato a Londra a raccogliere intorno a sé i democratici in esilio ed era un «maestro» per questi e per quelli rimasti in Italia.
Quando, nei primi mesi del 1860, ci fu a Palermo una rivolta contro i Borboni, i mazziniani chiesero a Giuseppe Garibaldi di mettersi a capo di una spedizione militare per liberare la Sicilia. Vittorio Emanuele II e *Cavour* rifiutarono a Garibaldi i soldati che aveva chiesto, ma non ostacolarono troppo la partenza del Generale, che riuscì a trovare un migliaio di volontari; per questo l'impresa è passata alla storia con il nome di «impresa dei Mille».
Giuseppe Garibaldi nato a Nizza nel 1807, si era dedicato giovanissimo alla carriera marittima. Nel 1832 era entrato a far parte della Giovane Italia e, come molti altri mazziniani, era dovuto ben presto fuggire ed era rimasto in America fino al 1848.
Partecipò a molte delle azioni militari del Risorgimento e nel 1859 si avvicinò al Re del Piemonte, rinunciando in parte alle sue idee repubblicane e ricevendo il grado di generale dell'esercito.
Da allora Garibaldi sarà per tutti il «Generale» e il successo eccezionale della spedizione dei Mille sarà in gran parte dovuto alle sue doti personali.
Personaggio molto discusso, ebbe sicuramente ottime capacità di capo militare, riuscendo sempre a dare ai suoi uomini la convinzione che avrebbero vinto. Aveva una certa istruzione e credeva che essa dovesse essere data a tutti, anche alle donne. Ebbe in genere idee politiche democratiche e moderne.

Vittorio Emanuele II.

Partito da Quarto (Genova) verso la Sicilia il 5 maggio 1860, Garibaldi, grazie anche alla collaborazione dei contadini locali, il 27 dello stesso mese era padrone dell'isola. Il 7 settembre entrava a Napoli e si proclamava Dittatore del Regno delle due Sicilie in nome di Vittorio Emanuele II.
Cavour a questo punto si trovava in grande «imbarazzo», come lui stesso disse, poiché Garibaldi era deciso ad andare fino a Roma e certamente ai Francesi non sarebbe piaciuto che si fosse fatta guerra al Papa. Riuscì allora ad avere da Napoleone III il permesso di far occupare Umbria e Marche dall'esercito piemontese, per impedire a Garibaldi di entrare nel Lazio. Fu anche deciso che in tutta l'Italia del Sud fossero fatti dei plebisciti per votare l'unione al Piemonte ed eliminare così il pericolo che il Meridione si trasformasse alla fine in una Repubblica democratica.
La maggioranza dei voti a favore dell'unione fu assoluta, anche se i contadini siciliani non sapevano perché dovevano dire di sì.
Garibaldi rinunciò ad andare a Roma e il 26 ottobre si incontrò a Teano (Caserta) con Vittorio Emanuele II. Il Re parlò del tempo e delle strade, poi se ne andò con i suoi ufficiali senza neppure invitare a colazione colui che gli aveva regalato un Regno.
Il 17 febbraio 1861 il nuovo Parlamento proclamò Vittorio Emanuele Re d'Italia. Egli non accettò di chiamarsi Vittorio Emanuele I, come sarebbe sembrato giusto essendo il primo Re d'Italia; volle sottolineare la continuazione della Monarchia dei Savoia e pretese la formula «Re d'Italia per grazia di Dio e volontà della nazione».

I Mille si imbarcano a Quarto.
Il dipinto è di Girolamo Induno.

La libertà non è pane

Giuseppe Cesare Abba, un garibaldino[1] che partecipò alla spedizione dei Mille, nel suo libro «Da Quarto al Volturno», ci ha lasciato testimonianze preziose dei fatti quotidiani di quella impresa.
Particolarmente bella e significativa la pagina in cui Abba racconta il suo incontro con Padre Carmelo, un monaco siciliano, che nonostante le sue idee rivoluzionarie, rifiuta di seguire i garibaldini. Nei motivi del suo rifiuto è riassunto il sentimento dei contadini siciliani nei confronti di Garibaldi e della sua guerra.
Il Generale al suo arrivo, era apparso ai contadini come un «angelo» venuto a liberarli dalla fame ed essi avevano combattuto con lui pensando di fare una guerra contro i galantuomini[2], proprietari di terre. Come capo del governo provvisorio Garibaldi aveva abolito le tasse più pesanti e previsto di dare terra ai contadini. Poi però aveva fatto arrestare e uccidere i contadini che, presi dall'entusiasmo, si ribellavano ai padroni, ed aveva regalato l'Italia meridionale ad un re che i Meridionali non conoscevano per un'unità nazionale che non capivano.
«Mi sono fatto un amico. Ha ventisette anni, ne mostra quaranta: è monaco e si chiama Padre Carmelo...... Vorrebbe essere uno di noi per lanciarsi nell'avventura col suo gran cuore, ma qualcosa lo rattiene[3] dal farlo.
– Venite con noi, vi vorranno tutti bene.
– Non posso.
– Forse perché siete frate? Ce ne abbiamo già uno. Eppoi altri monaci hanno combattuto in nostra compagnia, senza paura del sangue.
– Verrei se sapessi che farete qualche cosa di grande davvero; ma ho parlato con molti dei vostri, e non mi hanno saputo dir altro che volete unire l'Italia.
– Certo, per farne un grande e solo popolo.
– Un solo territorio...! In quanto al popolo, solo o diviso, se soffre, soffre; ed io non so che vogliate farlo felice.
– Felice! Il popolo avrà libertà e scuole.
– E nient'altro! – interruppe il frate – perché la libertà non è pane, e la scuola nemmeno. Queste cose basteranno forse per voi Piemontesi: per noi qui no.
– Dunque che ci vorrebbe per voi?
– Una guerra non contro i Borboni[4], ma degli oppressi contro gli oppressori grandi e piccoli, che non sono soltanto a corte, ma in ogni città, in ogni villa.
– Allora anche contro di voi frati, che avete conventi e terre dovunque sono case e campagne!
– Anche contro di noi; anzi prima che contro di ogni altro!».

1. ***Garibaldino:*** seguace di Garibaldi.
2. ***Galantuomo:*** nel Meridione si usava (oggi si usa molto meno) questo termine, che al plurale fa galantuomini, per indicare una persona di riguardo, soprattutto chi non era contadino, ma aveva terra e soldi.
3. ***Rattiene:*** trattiene.
4. I Borboni erano i Sovrani che con il Congresso di Vienna erano tornati sul trono delle due Sicilie. L'ultimo Re, Francesco II, di fronte ai Mille si mostrò piuttosto rassegnato a perdere il Regno. Si rifugiò prima a Gaeta e poi presso il Papa.

Fatta l'Italia bisogna fare gli Italiani

Con la celebre frase «fatta l'Italia, bisogna fare gli Italiani» Massimo d'Azeglio indicava uno dei più gravi problemi che si presentarono al governo subito dopo l'unità.
Anche *Cavour*, poco prima di morire, aveva detto: «Organizzare l'Italia, fondere insieme il Nord e il Sud, è impresa tanto difficile quanto fare la guerra all'Austria». E aveva ragione.
C'erano prima di tutto i problemi economici. L'agricoltura era in molte regioni ancora arretrata, lo sviluppo industriale scarsissimo, ma molti erano i debiti che il Piemonte aveva fatto per le guerre o che aveva ereditato dagli altri Stati. Le comunicazioni per ferrovia, ma soprattutto per strada, erano assolutamente insufficienti.
Nel Sud circa 1600 centri abitati su 1800 non erano collegati fra loro da vere strade ma da sentieri[1] che le piogge spesso cancellavano.
Circa il 78% della popolazione non sapeva né leggere né scrivere e solo in Lombardia e in Piemonte c'era una scuola pubblica abbastanza organizzata.
Le condizioni di vita nelle campagne erano durissime ed erano molto diffuse malattie come la pellagra[2], il colera, il tifo, la malaria.
Mario Panizza, professore dell'Università e deputato al Parlamento scrive nel 1866: «Io fui medico in quella provincia (Mantova).... ed ho potuto studiare da vicino le condizioni di quella gente.
È gente che non guadagna mai tanto da poter reintegrare le forze che spende nel lavoro di un giorno. È gente che il giorno dopo non può riparare le forze che ha speso il giorno prima. I proprietari delle terre non solo prendono i loro prodotti ma anche una parte delle forze dei contadini».

1. ***Sentiero:*** stretta strada a fondo naturale, tracciata in luoghi montani e campestri dal passaggio di uomini e animali.

2. ***Pellagra:*** è una malattia dovuta a mancanza di vitamina PP e caratterizzata da lesioni della pelle, disturbi nervosi e dell'apparato digerente. Si diffuse moltissimo fra i contadini della Valle Padana poiché essi si nutrivano quasi esclusivamente di farina di mais, meno cara di quella di grano.

Giovanni Segantini, Le due madri, 1888-1890, olio su tela, Milano, Galleria di Arte Moderna.

La situazione era ancora peggiore nel Meridione dove la popolazione si era aspettata molto dal nuovo Stato e invece si vide aumentare le tasse e portare via i giovani per il servizio militare obbligatorio.
Il modo rapido e particolare con cui si era unita l'Italia aveva portato questa conseguenza: il nuovo Stato aveva le caratteristiche di un Piemonte ingrandito. Fino al 1864 infatti la capitale del Regno rimase Torino e molte vecchie leggi piemontesi furono estese a tutta la nazione senza tenere conto che si adattavano male a situazioni sociali ed economiche tanto diverse.
La protesta e la rabbia nel Meridione si manifestarono nella forma, non nuova del «brigantaggio». In Calabria, in Puglia, in Campania e in Basilicata si formarono gruppi armati di cui facevano parte soprattutto i contadini più poveri e i giovani che si rifiutavano di fare il servizio militare. Anche se furono aiutati dai Borboni, i contadini meridionali non si fecero banditi per ritornare al vecchio Regno delle due Sicilie, ma per protestare contro il nuovo Regno che non aveva dato loro la terra in cui avevano sperato.
I briganti condussero per quattro anni una guerra spietata a cui il governo rispose con la forza e le condanne a morte senza processo.
Nel 1865 il brigantaggio era vinto; ma lo Stato italiano che aveva mandato i suoi soldati ad arrestare uomini e donne accusati di aver nascosto i briganti, a bruciare le loro case, a fucilare i colpevoli nelle piazze dei paesi, fu visto come un nemico dalle popolazioni meridionali.
E così certamente «non si facevano gli Italiani».

Libera Chiesa in libero Stato

I successori di *Cavour*[1] oltre ai molti problemi economici e sociali avevano anche da risolvere quelli politici del completamento dell'unità della nazione, a cui mancavano Roma e il Veneto. Il Veneto fu ottenuto con una certa facilità nel 1866. L'Italia aveva fatto un'alleanza con la Prussia contro l'Austria e quando la Prussia vinse l'Austria ottenne per l'Italia (sconfitta per terra e per mare) il Veneto.

Fu invece assai più difficile avere Roma dove regnava il Papa che non era un Sovrano qualunque, ma il capo dei cattolici di tutto il mondo. Molti cattolici ritenevano che il potere del Papa su Roma fosse sacro.

Non pensava così *Cavour* che aveva indicato al Parlamento le vie per conquistare Roma: «Ho detto, signori, e affermo ancora una volta che Roma, Roma sola, deve essere la capitale dell'Italia... Noi dobbiamo andare a Roma, ma a due condizioni. Noi dobbiamo andarvi in accordo con la Francia inoltre senza che la riunione di questa città al resto d'Italia, possa essere interpretata dalla gran massa dei cattolici d'Italia e fuori d'Italia come un segnale della servitù della Chiesa».

Ma andare a Roma d'accordo con la Francia era molto difficile. Quando, nel 1862, Garibaldi con dei volontari, che lui riusciva facilmente a trovare, dalla Sicilia passò di nuovo lo stretto di Messina, deciso ad arrivare fino a Roma, Napoleone III fece sapere al governo italiano che era pronto ad intervenire. Rattazzi, capo del governo, che fino ad allora aveva finto di non sapere, dovette ordinare all'esercito di fermare Garibaldi.

Nel 1865 la capitale del Regno fu trasferita a Firenze e gli Italiani, a parte i Torinesi e il Re[2], furono contenti di questo trasferimento, visto come un avvicinamento a Roma.

Dopo due mesi, la pubblicazione del «Sillabo», un documento dove Pio IX condannava come errori il liberalismo e la separazione tra Chiesa e Stato, rese i laici più aggressivi. In Parlamento furono approvate molte leggi contro il clero e nel 1867 Garibaldi fu incoraggiato a tentare di nuovo di prendere Roma con la forza. Questa volta i Francesi intervennero davvero e dopo aver vinto Garibaldi dichiararono che *jamais, jamais* gli Italiani sarebbero entrati a Roma.

Quando tuttavia i Francesi furono sconfitti dai Prussiani a Sedan (settembre 1870) ed era chiaro che per Napoleone III era la fine, le truppe italiane entrarono a Roma dopo aver aperto un passaggio nelle mura di porta Pia.

La primavera successiva il Parlamento italiano approvava una legge detta delle Guarentigie. In base ad essa si davano al Papa le più ampie garanzie di rispetto dei propri poteri spirituali, con una chiara separazione fra la Chiesa e lo Stato, così come aveva sempre desiderato *Cavour*.

Pio IX non accettò questa separazione né alcuna possibilità di accordo con lo Stato italiano e si chiuse, come un prigioniero, nei Palazzi Vaticani.

1. Fino al 1876 ci furono al governo uomini di Destra che seguirono sistemi politici e comportamenti già adottati da *Cavour*. Fu una classe politica moderata che ebbe sempre un grande rispetto della Costituzione e dello Stato e un'onestà che non possiamo non ammirare.

2. Si dice che il Re sia stato profondamente dispiaciuto del trasferimento a Firenze e che abbia detto al suo primo ministro: «E che importa a voialtri? Sono io che ho sempre vissuto qui, e qui ho tutte le mie memorie dell'infanzia, tutte le mie abitudini, i miei affetti».

Manifesto della proclamazione di Roma capitale d'Italia.

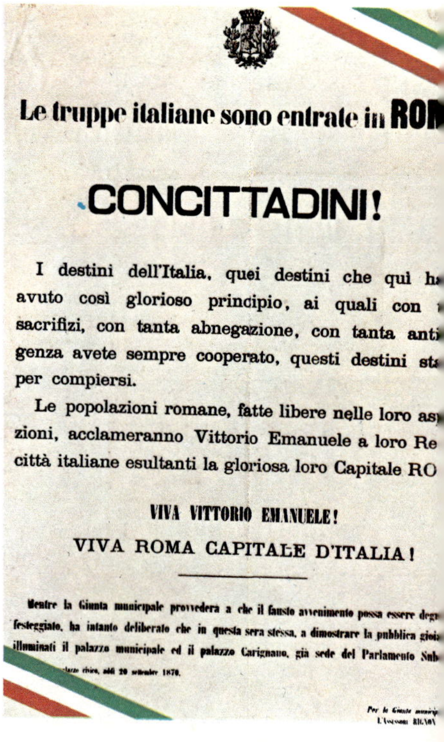

Mamma mia dammi cento lire

«Mamma mia dammi cento lire che in America voglio andar» diceva una canzone popolare della fine dell'Ottocento che testimoniava quanto fosse diffuso il fenomeno dell'emigrazione. Gli Italiani non sono stati i soli Europei ad emigrare, ma sono stati tanti. Dal 1876 fino circa alla metà di questo secolo hanno lasciato il loro paese per cercare lavoro in terre lontane ventuno milioni di Italiani. Sette milioni di questi non sono più tornati in patria. L'aumento della popolazione e la crisi dei prodotti agricoli italiani dell'ultimo ventennio del 1800 provocarono una sensibile diminuzione del reddito nazionale. Per i contadini più poveri, soprattutto meridionali e veneti, ma anche di altre regioni, fu la fame. E per fame, non per spirito di avventura, tanti contadini italiani emigrarono.
Nei poveri paesi del Sud, pieni di polvere, di sole e di bambini, si cominciarono a vedere gli «agenti di emigrazione», privati cittadini che lavoravano per conto dei Paesi stranieri che avevano bisogno di operai. Gli agenti di emigrazione spingevano i contadini a partire promettendo poco lavoro e forti guadagni. Si occupavano poi di tutte le pratiche necessarie per partire, perché i contadini analfabeti non avrebbero saputo come fare. La gente, abituata a faticare e a soffrire, forse non si illudeva troppo, ma comunque partiva. I più andavano in America, definita da un'altra canzone popolare «allegra e bella ». Ma allegra lo fu per pochi. Dopo un viaggio pieno di disagi in cui non era difficile ammalarsi e anche morire, gli emigrati giungevano nella terra straniera dove non c'era nessuna organizzazione che li assistesse. Non capivano la lingua, non riuscivano ad orientarsi nelle città, non sapevano né leggere né scrivere. In questa situazione fecero fortuna alcuni che conoscevano già bene le città straniere e in cambio di denaro procuravano ai nuovi arrivati un lavoro e una casa. Questi «amici» esigevano poi una riconoscenza continua per i loro consigli e favori. Chi non riusciva a guadagnare una propria autonomia e ad inserirsi, almeno un poco, nella nuova società aveva una vita difficile, molto diversa da quel «paradiso» che gli era stato promesso.
In America Latina gli emigranti italiani si inserirono meglio che negli Stati Uniti; la lingua, la religione, la cultura in genere erano più vicine a quelle italiane. Molti, che erano partiti poveri, si arricchirono con l'agricoltura, l'industria, il commercio.
Lo Stato italiano per lo più «lasciò fare». Furono istituiti controlli medici ai porti e sulle navi, si cercò di sostituire gli agenti di emigrazione con agenti statali che non ingannassero la povera gente, ma non si fece nessuna legge che regolasse l'emigrazione o proteggesse gli Italiani all'estero.
Nello stesso periodo dell'emigrazione oltreoceano i lavoratori cominciarono ad andare anche in Francia, Belgio e Svizzera, ma spesso senza la famiglia, sperando di tornare presto in patria, non appena avessero guadagnato quanto bastava per comprare un po' di quella terra dove avevano faticato come braccianti[1].

Arrivo di emigranti a New York.

1. ***Bracciante:*** chi svolge in un'azienda agricola i lavori stagionali e viene perciò pagato solo in alcuni mesi dell'anno. Sono i più poveri tra i lavoratori della campagna.

Coraggio e avanti

Nell'Italia appena unita le proteste delle masse erano frequentissime. Ed è da questa gente, di campagna e di città che spesso «scende in piazza»[1] per fame, che comincia a formarsi un'opposizione popolare organizzata.
I primi gruppi rivoluzionari operai seguirono più le teorie dell'anarchico[2] Michele Bakunin, arrivato in Italia fin dal 1864, che quelle di Carlo Marx. Un fondo di anarchismo rimarrà a lungo fra le masse operaie e contadine italiane nelle quali era forte la sfiducia nei confronti dello Stato.
Nel 1881 Andrea Costa per cercare di unire le file, deboli e sparse, dei gruppi italiani rivoluzionari, fondò a Imola con l'aiuto di pochi amici un giornale a cui dette un titolo che era un programma di impegno e di ottimismo: «Avanti!».
Nel primo numero lo stesso Costa presentò il giornale con un articolo che cominciava con le parole «Avanti; alla luce del sole e a bandiera spiegata» e finiva con la frase «Coraggio e avanti: ci accompagnano i voti di milioni di oppressi!». Il giornale era interessante e conteneva una ricca corrispondenza da parte dei movimenti operai italiani ed esteri, ma venne subito sequestrato perché secondo le autorità «provocava l'odio fra le varie classi sociali». Andrea Costa, fedele al programma, continuò ad andare avanti, ma il giornale continuò ad essere sequestrato. Attraverso l'«Avanti!» i socialisti riuscirono comunque a fare un po' di propaganda e nell'agosto del 1881 ci fu l'elezione di Andrea Costa. Entrava così nel Parlamento italiano il primo deputato socialista.

1. ***Scendere in piazza:*** si usa frequentemente questa espressione per indicare la partecipazione a manifestazioni popolari di protesta.
2. ***Anarchico:*** (dal greco «anarchia», che significa «assenza di ogni organo di governo») viene detto anarchico colui che non riconosce la validità della legge né l'autorità di qualsiasi governo.

Una delle prime tessere del Partito socialista italiano.

Mentre in Romagna si rafforzava il socialismo, in Lombardia cresceva il Partito operaio italiano con la fondazione della prima Camera del lavoro che si poneva come fine quello di migliorare l'organizzazione del lavoro e di tutta la vita sociale.
Il merito di aver fuso insieme i vari gruppi di opposizione fu di Antonio Labriola[3] e di Filippo Turati[4] il quale, con la sua rivista «Critica sociale», contribuì molto a diffondere le idee socialiste fra gli intellettuali italiani. Nel 1892 a Genova si potè riunire un congresso a cui parteciparono i rappresentanti dei vari gruppi operai e popolari.
Il congresso riuscì a battere le tendenze anarchiche e dette vita ad un nuovo gruppo che prese il nome di Partito dei lavoratori italiani e che diverrà poi il Partito socialista italiano.
Il nuovo Partito si affermerà nei primissimi anni del 1900. Con Giolitti e Zanardelli si avrà infatti un governo che ammetterà i diritti politici ed economici dei lavoratori. Allora si moltiplicarono scioperi e sindacati[5], ma soprattutto le Camere del lavoro. Queste, essendo istituzioni locali, erano più vicine allo spirito dei lavoratori italiani, legati più alla propria città che alla nazione.
Molti si fecero socialisti e fra questi non ci furono solo operai e contadini, ma anche borghesi e intellettuali, come il poeta Giovanni Pascoli[6].
Negli altri paesi europei si guardava con grande meraviglia a questa varietà del movimento socialista italiano e ci si chiedeva come si potesse essere professori universitari e socialisti insieme.

3. ***Antonio Labriola:*** filosofo (Cassino, 1843-Roma, 1904). Fu professore all'Università di Roma dal 1874 fino alla morte. Aderì al pensiero socialista fin dal 1879 e fece studi assai interessanti sulla dottrina marxista del materialismo storico. Tre delle due opere principali sono state pubblicate insieme con il titolo «La concezione materialistica della storia».

4. ***Filippo Turati:*** uomo politico (Como, 1857-Parigi, 1932) laureato in legge all'Università di Bologna, aderì al primo movimento operaio italiano e per tutta la vita, insieme alla compagna Anna Kuliscioff, si dedicò alla politica. Contribuì alla nascita del Partito socialista, ma dovette sostenere molte lotte interne al Partito. Fu a lungo deputato e sostenne una linea politica basata soprattutto su una serie organica di riforme economiche.

5. ***Sindacato:*** associazione di lavoratori o di datori di lavoro, costituita per la difesa di interessi professionali collettivi. Esistono sindacati, detti «autonomi» che si occupano di particolari categorie professionali, e confederazioni sindacali che riuniscono i lavoratori di tutte le categorie, ma divisi per orientamento politico. Tra le confederazioni la C.G.I.L. è di sinistra, la U.I.L. di centro-sinistra, la C.I.S.L. cattolica e di centro-destra.

6. ***Giovanni Pascoli:*** poeta (San Mauro di Romagna, 1855-Bologna, 1821). Fu prima professore di liceo e poi universitario a Pisa, a Messina e infine a Bologna, quando Carducci lasciò la sua cattedra di letteratura italiana. Le sue poesie sono raccolte in *Myricae* e «Canti di Castelvecchio».

Le colonie marine nel periodo fascista furono create per i figli degli operai, a cui si offrivano quindici giorni al mare per dimostrare che il regime pensava al popolo. ►

Parte V

Francesco Crispi, uomo politico di notevole energia fu sostenitore di uno Stato autoritario e forte.

Non si mangia, qualcosa bisogna fare

Nell'ultimo ventennio del 1800 l'Italia attraversò una grossa crisi economica che portò alla fame molti lavoratori, specie delle campagne meridionali, spingendoli in massa ad emigrare.
In quegli anni divenne primo ministro Francesco Crispi che per dieci anni dominerà la vita politica italiana. Era il Crispi un uomo di carattere duro ed autoritario, avversario del socialismo e della democrazia. Non consultava quasi mai il Parlamento e trovava in ciò l'appoggio del Re Umberto I, salito al trono nel 1887, che non era meno autoritario del suo ministro.
Crispi cercò di fare una politica di prestigio nei confronti degli altri Stati senza tener conto delle condizioni di vita dei lavoratori italiani. Di fronte alle manifestazioni di protesta dei contadini in Sicilia e degli operai del marmo in Toscana, non esitò a far intervenire l'esercito e a far condannare i ribelli. Nel 1896, per gravi questioni di politica estera, Crispi fu costretto a lasciare il suo posto.
Il nuovo primo ministro, Di Rudinì, cercò di riportare nel paese la calma, ma senza preoccuparsi di risolvere i problemi per i quali le proteste erano esplose.
Così nel 1898, quando lo scarso raccolto ed altre difficoltà fecero aumentare il prezzo del pane, la gente scese di nuovo in piazza in varie regioni. A Milano il generale Bava Beccaris non si limitò a cercare di calmare la folla con modi violenti, come era già successo. Questa volta, come se si trattasse di una vera guerra, proclamò lo stato d'assedio[1] e fece sparare con i can-

1. ***Stato d'assedio:*** provvedimento eccezionale, determinato da gravi circostanze di carattere interno ad una nazione. Con lo stato d'assedio vengono temporaneamente sospese alcune leggi o addirittura la Costituzione e talvolta i poteri civili vengono delegati all'autorità militare.

noni sulla folla, uccidendo un centinaio di persone. Come se ciò non bastasse, furono poi arrestati molti capi socialisti e di altri gruppi di opposizione per paura che si facessero piani di rivolta generale. Il Re Umberto I assegnò al generale Bava Beccaris una medaglia d'oro per «i servizi resi alla civiltà».
Ormai il re e gli uomini dei gruppi più reazionari[2], un po' per paura, un po' perché non credevano nella democrazia parlamentare, erano decisi a percorrere fino in fondo la strada della repressione[3].
Il generale *Pelloux,* che fu a capo del governo dopo le dimissioni[4] di Di Rudinì, era l'uomo giusto per andare in questa direzione; propose immediatamente al Parlamento una serie di leggi che limitavano gravemente la libertà di associazione e di stampa. Con la loro approvazione ci sarebbe stata la fine delle libertà garantite dalle leggi.
In Parlamento ci fu, per fortuna, una forte opposizione non solo da parte dei socialisti, ma anche dei liberali guidati da Giovanni Giolitti e *Pelloux* dovette dimettersi.
Con il nuovo governo nel paese tornò la calma, ma i morti di Milano non erano stati dimenticati e l'anarchico Gaetano Bresci volle vendicarli uccidendo, il 29 luglio 1900 a Monza, Umberto I.
Questo Re non era mai stato amato dagli Italiani sia perché non faceva niente per migliorare le condizioni di vita della gente sia perché aveva un carattere freddo e non mostrava neppure di capire i problemi del popolo.
Non era la prima volta che qualcuno cercava di uccidere Umberto I. Appena salito al trono aveva subito un attentato da un repubblicano e dieci anni dopo da un operaio che lo aveva fatto per disperazione. Quando l'operaio era stato arrestato aveva detto: «Non si mangia, qualcosa bisogna fare».

2. ***Reazionario:*** appellativo che si dà a persone o atteggiamenti che chiaramente vogliono la ricostituzione, anche con metodi violenti, di un assetto politico e sociale del passato.
3. ***Repressione:*** azione condotta con forza e violenza contro manifestazioni ritenute dannose per la società o per un particolare regime politico.
4. ***Dimissioni:*** rinuncia, imposta o voluta dalla persona interessata, all'esercizio di determinate funzioni, per lo più politiche. Con lo stesso significato si usa il verbo dimettersi.

Barricate fatte con vetture tramviarie a Milano nel 1898. La popolazione è insorta contro la fame e lo sfruttamento.

L'imperialismo dei poveri

Come tutti sanno, dopo il 1870 le potenze europee (Inghilterra, Francia, Germania, Belgio) si divisero l'Africa.
Per il forte sviluppo industriale l'Europa aveva bisogno di nuovi mercati e abbondanza di materie prime e si pensò pertanto di soddisfare questo bisogno con la creazione di un Impero coloniale. Da qui il nome di imperialismo dato a questa tendenza.
L'Italia non era una potenza industriale, ma era stata, ai tempi dell'Impero romano, la padrona del Mediterraneo e perciò era più che giusto che avesse di nuovo una sua espansione coloniale.
In Parlamento solo pochi socialisti si opposero, e anche la popolazione era abbastanza favorevole, un po' per amore di patria e un po' perché sperava di avere nuove terre da coltivare.
Così anche gli Italiani partirono per prendersi il loro pezzetto di Africa, ma non ebbero molta fortuna. Tutte le imprese coloniali italiane saranno caratterizzate da scarsi mezzi e ancor più scarsa organizzazione. Proprio un colonialismo da poveri!
I primi soldati italiani sbarcarono in Africa nel 1855 ed occuparono Massaua con l'intenzione di conquistare l'Etiopia dove da quindici anni la società di navigazione italiana Rubattino vi possedeva la baia[1] di Assab.
I soldati erano male armati, male organizzati e non conoscevano il territorio, ma si pensava che il nemico non fosse pericoloso perché molto povero e arretrato.
Se era vero che l'Impero etiopico aveva uno sviluppo assai inferiore a quello di un Paese europeo, era anche vero che aveva tanti uomini pronti a combattere con grande coraggio.
Il 26 gennaio 1887, a Dogali, 500 soldati italiani si trovarono di fronte un nemico venti volte superiore e ci fu una vera strage.

1. ***Baia:*** piccola insenatura che si addentra molto nella costa.

Il Negus Menelik, sovrano dell'Etiopia, sotto la sua grande tenda regale.

Ovviamente in Italia la strage fece molta impressione, ma solo i socialisti colsero l'occasione per riaffermare che l'Italia non doveva mettersi sulla strada del colonialismo. Nell'ordine del giorno presentato in Parlamento da Andrea Costa il 3 febbraio 1887 essi dichiararono che quella africana era un'impresa non voluta dall'Italia che lavorava e che produceva e che pertanto non si sentivano di dare «né un uomo né un soldo».

A parte i socialisti, la sconfitta di Dogali nella maggior parte degli uomini politici fece nascere il desiderio di rifarsi e il nuovo governo, guidato da Francesco Crispi, decise di continuare la guerra d'Africa.

Le truppe italiane riuscirono ad avere il controllo della fascia settentrionale dell'Etiopia, che nel 1890 divenne colonia italiana con il nome di Eritrea, e negli stessi anni, attraverso accordi diplomatici, occuparono anche una parte della Somalia, un arido Paese a sud dell'Etiopia.

Nel 1896 gli Italiani vennero nuovamente sconfitti ad Adua, in Etiopia, con perdite altissime: morirono più di 5000 soldati. Non ne erano morti tanti in tutte le guerre del Risorgimento.

Questa volta l'opposizione alla guerra esplose nell'intera nazione e Crispi dovette dimettersi.

Per quindici anni non si riparlerà di imprese coloniali anche perché Giolitti che dominerà la scena politica italiana in questo periodo era contrario alle guerre «dei poveri».

Nel 1911 tuttavia lo stesso Giolitti, per timore che qualche altra potenza europea occupasse la Libia che era rimasta l'unica terra africana sul Mediterraneo a non essere stata colonizzata, si fece avanti. La guerra contro i Turchi che dominavano la Libia si concluse dopo un anno con la vittoria, e la Libia divenne colonia italiana.

Questa guerra era stata abbastanza popolare anche perché nel primo novecento il nazionalismo[2] era assai cresciuto, ma la vittoria fu una delusione.

La Libia, che era costata allo Stato italiano molti soldi, non era quella terra fertile da cui poter avere pane e lavoro per migliaia di contadini, ma una «scatola di sabbia» che avrebbe reso ben poco.

2. ***Nazionalismo:*** ideologia o pratica che si ispira all'esaltazione del concetto di nazione.

Quindici anni di *belle époque*

Negli ultimi anni del 1800, quando tutta l'economia europea entrò in una fase di sviluppo, in Italia vi fu una forte crescita di tutti i settori economici. Lo sviluppo dell'industria nel suo complesso fu molto elevato, anche se riguardò soprattutto il Settentrione. Straordinaria fu la crescita delle industrie automobilistiche che in tre anni da sette diventarono settanta. La principale di esse, la Fiat, era stata fondata a Torino nel 1899.
Da Paese prevalentemente agricolo l'Italia si avviava così rapidamente a divenire un Paese agricolo-industriale, anche se bisognerà aspettare il 1930 perché si abbia un valore della produzione industriale superiore a quello della produzione agricola.
Certo il forte sviluppo dell'industria di questo periodo fu dovuto anche alla protezione dello Stato e al basso costo degli operai, ma lo sviluppo era reale. Reale era anche la formazione di un proletariato industriale con cui la società italiana doveva fare i conti.
Giovanni Giolitti, abile uomo politico liberale che fu primo ministro dal 1903 al 1909, aveva capito perfettamente che movimenti operai e sindacati erano forze che non si potevano ignorare. Egli infatti disse: «Nessuno si può illudere di poter impedire che le classi popolari conquistino la loro parte di influenza economica e di influenza politica». Il suo programma volle perciò favorire una collaborazione politica tra le forze della borghesia liberale e quelle di opposizione per riuscire ad

La moda italiana nel periodo della belle époque.

accrescere lo sviluppo del paese ed insieme a proteggere i lavoratori. «Il governo – disse al Parlamento – dovrebbe essere il tutore imparziale di tutte le classi dei cittadini».
Non riuscì a fare tutto, ma abbastanza. Fece approvare leggi che proteggevano il lavoro delle donne e dei fanciulli, altre che permettevano lo sciopero, altre in favore delle regioni più povere del Sud e dell'istruzione elementare. Tornato ancora al potere, introdusse nel 1912 una grossa riforma elettorale che estendeva il diritto di voto a tutti i cittadini maschi.
Fu tuttavia un personaggio molto discusso, soprattutto per la disinvoltura con cui cercava di acquistare, con mezzi leciti e illeciti, i voti dei galantuomini meridionali e quelli dei deputati che erano disposti a venderli.
Con Giolitti comunque il Paese progredì socialmente ed economicamente anche se in modo insufficiente e con le solite differenze fra Nord e Sud. Nel primo decennio del '900 una parte notevole della popolazione aveva visto migliorare le proprie condizioni di vita e anche l'Italia ebbe la sua *belle époque*.
I ricchi borghesi cominciarono ad andare in vacanza al mare o ai monti e nacquero sulle Alpi i primi centri per gli sport invernali. Si aprì a Torino nel 1902 la Prima esposizione internazionale di arte moderna che contribuì a diffondere in tutta Europa lo stile *liberty*, detto in Italia stile floreale, con le sue forme e decorazioni ricche di foglie e di fiori, spesso belle, ma qualche volta eccessive. Così come erano eccessivi gli ornamenti delle vesti femminili e soprattutto i cappelli che ebbero in questo periodo un vero trionfo.
Le signore della buona borghesia portavano il cappello dovunque: sulla spiaggia, nei salotti, nei ristoranti. E quei grandi cappelli con piume, fiori, uccelli, erano il simbolo dello stato sociale delle famiglie.
Le signore con il cappello si concedevano anche molti svaghi, di cui la *belle époque* fu generosa. A teatro si vedevano i drammi di D'Annunzio recitati dalla sua famosa amica Eleonora Duse e si cominciava ad andare al cinema a vedere i primi film storici con le prime grandi attrici del cinema italiano, Francesca Bertini e Lida Borelli. Per i «signori» c'erano inoltre gli sport: l'automobilismo, il calcio, il ciclismo con il popolare Giro d'Italia.
Eppure molti non erano contenti. A parte i contadini che nelle zone più arretrate del paese continuavano a vivere nella miseria, c'erano altri a cui questa Italia borghese, questa «Italietta» non piaceva; la trovavano meschina e priva di tensioni ideali. Tra questi scontenti si formeranno i nazionalisti che volevano la *grandeur* dalla patria e avranno il loro peso nella guerra e dopo.

I proletari non vogliono la guerra

Quando nel luglio 1914 in Europa scoppiò la I guerra mondiale, l'Italia era alleata con Austria e Germania (Triplice Alleanza). Il governo tuttavia si ritenne libero di non intervenire nel conflitto poiché l'Austria non era stata aggredita, ma aveva aggredito.
Nove mesi dopo, lo stesso governo, senza consultare il Parlamento, firmava a Londra un patto con le potenze della Triplice Intesa (Francia, Inghilterra, Russia) con il quale si impegnava ad entrare in guerra al loro fianco. A vittoria avvenuta, l'Italia avrebbe ottenuto il Trentino, Trieste e la Dalmazia.
Quando il Parlamento e il popolo vennero a conoscenza del patto si ebbero forti contrasti e violente proteste. Il Paese nel suo complesso non voleva la guerra. Non la voleva la maggioranza del Parlamento, non la voleva Giolitti che pensava che sarebbe stata una prova lunga e difficile, una guerra inutile e ingiusta. Non la volevano le masse popolari, sia cattoliche sia socialiste, le quali avevano fiducia nell'autorità di Giolitti e una settimana prima del conflitto gli indirizzarono una lettera; si chiedeva a Giolitti di non abbandonare la sua lotta contro la guerra. «Onorevole Giolitti, non vi lasciate intimorire dalla gazzarra[1] dei guerrafondai[2]. Nessuno di essi, salvo qualche rara eccezione è militare. Sono vecchi inabili o giovani al di sotto dei diciotto anni... Non vi intimorite. Siate forte. Abbattete con tutti i mezzi i nemici dell'umanità, coloro che vogliono la-

1. ***Gazzarra:*** scomposta e rumorosa manifestazione di allegria.
2. ***Guerrafondaio:*** sostenitore convinto della guerra.

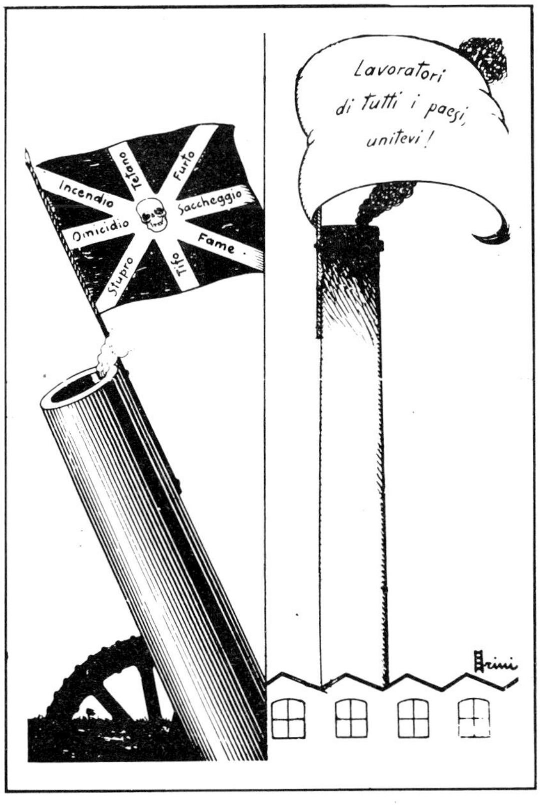

Un disegno assai significativo del 1914. È intitolato: «la bandiera della guerra e quella della pace».

varsi le mani nel sangue proletario... Si tenta con ogni mezzo di soffocare il grido vero del popolo che soffre e piange e che è la vera maggioranza della nazione. Difendetevi liberamente; il popolo tutto è con voi e saprà difendervi anch'esso dalle accuse dei venduti».
La lettera portava questa significativa firma: «Centinaia di proletari a cui è stata soffocata la voce».
Certo fra coloro che erano favorevoli all'intervento in guerra c'erano molti nomi illustri: da quello di Luigi Albertini, direttore del «Corriere della sera», quotidiano già allora molto importante, a quello di Cesare Battisti, un socialista di Trento che si era rifugiato in Italia. Anche il poeta e scrittore Gabriele D'Annunzio, capo spirituale dei nazionalisti, era favorevole alla guerra. Fece, secondo il suo stile, discorsi difficili, ma capaci di trascinare le folle. La sera del 13 maggio 1915 diceva in Campidoglio: «Se considerato è come crimine l'incitare alla violenza i cittadini, io mi vanterò di questo crimine, io lo prenderò sopra me solo... Ogni eccesso della forza è lecito, se vale a impedire che la patria si perda».
A predicare le «virtù» della guerra c'era infine Benito Mussolini che, dopo essere stato socialista, era stato allontanato dal partito ed aveva fondato un suo giornale, «il Popolo d'Italia», dalle pagine del quale faceva discorsi nazionalisti e guerrafondai.
Ma le folle di studenti e piccoli borghesi che in quel maggio 1915 scesero nelle piazze a gridare contro Giolitti e a cantare inni patriottici, non sarebbero state sufficienti a far decidere il governo. Di fatto esso, insieme al Re, aveva già deciso ed aspettava solo il via dal Parlamento. Il Re e gli uomini politici più reazionari pensavano che la guerra avrebbe permesso di riprendere in mano il paese in senso autoritario e avrebbe allontanato le minacce sovversive.
Alla fine il Parlamento dette al governo i pieni poteri e fu la guerra. L'Italia non era militarmente preparata, ma nel complesso l'esercito fece il suo dovere e, a prezzo di molti morti, riuscì a vincere l'Austria.

Non è il caso di fare festa

Finita la guerra furono organizzate molte feste per celebrare la vittoria, ma la guerra era costata 700.000 morti e c'era tristezza nell'aria. Benedetto Croce[1] scriveva: «Far festa perché? La nostra Italia esce da questa guerra con una grave e mortale malattia, con piaghe aperte, con debolezze pericolose nella sua carne... E centinaia di migliaia del nostro popolo sono periti, e ognuno di noi rivede in questo momento i volti mesti degli amici che abbiamo perduto». Anche a quei nazionalisti che avevano voluto la guerra e non davano molta importanza ai morti, passò presto la voglia di fare festa.
Nessuno, e meno di tutti i nazionalisti stessi, erano soddisfatti del trattato di pace. Non si accettava che la città di Fiume, abitata in prevalenza da Italiani anche se posta in territorio slavo, fosse stata assegnata alla Iugoslavia.
La questione di Fiume verrà risolta nel 1920 da Giolitti, tornato ancora una volta al governo. Comunque nell'Italia del dopoguerra i più stavano male o non erano contenti delle loro condizioni.
I contadini, tornati a casa, avevano trovato la stessa miseria che avevano lasciato e in più stalle vuote e campi non lavorati; i piccoli borghesi, che in guerra erano stati brillanti ufficiali ed avevano cercato la gloria, dovevano adattarsi di nuovo ad una vita grigia e monotona, con pochi soldi e molti sacrifici.
Intanto coloro che avevano sperato che la guerra avrebbe permesso di affermare di nuovo nel Paese l'ordine e l'autorità assistevano con grande paura a scioperi ed agitazioni continue che facevano pensare alla rivoluzione. In questa situazione il Partito socialista visse il suo grande momento e nelle elezioni del 1919 ottenne il maggior numero di voti e di deputati. Era seguito a una certa distanza dal partito dei cattolici. Questo era nato nel 1918 con il nome di Partito popolare italiano e sosteneva una politica di riforme sociali, senza lotte di classe e in accordo con la Chiesa.
Il Partito socialista però non aveva una chiara visione della situazione del paese né delle sue possibilità di sviluppo, era inoltre fortemente diviso al suo interno. Il gruppo rivoluzionario, guidato da Antonio Gramsci, nel 1921 lascerà il Partito socialista e fonderà il Partito comunista italiano.
Nel settembre 1920 gli operai del settore metallurgico[2], dopo lunghi contrasti con i padroni, occuparono le fabbriche con le armi e le bandiere rosse. Sembrava che l'ora della rivoluzione fosse arrivata. Giolitti, che si trovava a capo del governo, non si lasciò impressionare ed aspettò pazientemente che padroni ed operai, a cui i socialisti non seppero offrire una guida efficace, si mettessero d'accordo, convinti dalle sue promesse.
Allora non si pensò più alla rivoluzione, ma si credette che l'Italia, sotto la guida del più saggio dei suoi uomini politici, potesse tornare alla tranquillità della *belle époque*.
Non fu così.

1. ***Benedetto Croce:*** filosofo (Pescasseroli, 1866-Napoli, 1952). Fu anche storico e critico letterario e si occupò di vastissimi campi della cultura moderna, portando su tutti una parola autorevole, spesso illuminante. Fondò e pubblicò per quaranta anni la rivista «La Critica». Scrisse moltissimo. Tra le sue opere principali ricordiamo: «La letteratura della nuova Italia» (6 voll.), «Estetica», «Storia d'Italia dal 1871 al 1915», «Indagini su *Hegel*». Fece parte attiva della vita politica italiana fin dal 1910, ma dopo il delitto Matteotti non nascose la sua opposizione al fascismo. Caduto il fascismo fu presidente del Partito liberale e membro della Costituente.

2. ***Metallurgico:*** che riguarda l'estrazione e la lavorazione dei metalli.

La marcia su Roma

Dopo il disordinato sviluppo degli anni di guerra l'economia italiana entrò in un periodo di crisi acuta e generale. Sia le industrie sia le banche si trovavano in grandi difficoltà, il numero dei disoccupati cresceva continuamente. In questo clima il movimento operaio socialista si indebolì notevolmente e il grande Partito socialista italiano si trovò diviso in tre Partiti diversi.
Intanto militari, industriali e grandi proprietari terrieri sempre più pensavano che si dovesse trovare una soluzione autoritaria e definitiva. Per questo occorreva un uomo più forte e deciso di Giolitti, capace di agire al momento giusto e non solo di guardare ed aspettare. E l'uomo fu trovato: era Benito Mussolini.
Nato in Romagna nel 1883, aveva passato un'infanzia e una giovinezza assai agitate. Aveva fatto parte attivamente del Partito socialista, ma ne era stato allontanato perché favorevole alla guerra ed aveva allora fondato un suo giornale, il «Popolo d'Italia», e dopo il movimento fascista.
La nuova associazione aveva un programma molto vago dove emergeva l'antisocialismo e il nazionalismo, e raccoglieva gente in cerca di avventura.
«Noi ci permettiamo il lusso – disse Mussolini – di essere aristocratici e democratici; conservatori e progressisti; reazionari e rivoluzionari; legalitari e illegalitari, a seconda delle circostanze di tempo, di luogo e di ambiente».
Nelle elezioni del novembre 1919 i fascisti a Milano si presentarono con una loro lista, ma ottennero pochissimi voti. Anche nella prima metà del 1920 il movimento fascista rimase nell'ombra, ma dopo l'occupazione delle fabbriche Mussolini si assunse il compito di «difendere l'ordine pubblico» e incominciò a punire i nemici dell'ordine. Si incendiavano le sedi del Partito socialista e dei giornali di sinistra, si picchiavano in modo selvaggio e si umiliavano in vario modo socialisti e altri che non stavano dalla parte del fascismo.

Una sequenza fotografica di Mussolini oratore.

Nei primi due anni di attività delle squadre fasciste ci furono circa 1500 morti. «Per far entrare le nostre idee nella testa della gente – sosteneva Mussolini – bisognerà suonare sui crani refrattari a suon di manganello[1]».
Le «spedizioni» delle squadre fasciste erano sostenute economicamente dagli industriali e dai proprietari terrieri che vedevano, con grande soddisfazione, diminuire gli scioperi.
L'esercito e il governo fingevano invece di non vedere pensando che il fascismo avrebbe avuto comunque vita breve e che intanto un po' di ordine non avrebbe fatto male.
Nel 1921 il movimento si trasformò in Partito nazionale fascista e 35 suoi deputati entrarono in Parlamento. Mussolini aveva comunque capito che senza una prospettiva concreta e vicina il fascismo sarebbe presto entrato in crisi. Poiché questa prospettiva non poteva essere che quella del potere, cominciò a ricercare le simpatie e l'appoggio del Re, della Chiesa, degli uomini politici liberali. Simpatie ed appoggi ne trovò molti, mentre i partiti che ancora stavano all'opposizione erano deboli e divisi.
Il 24 ottobre 1922 i capi del fascismo, con il consenso di Mussolini, decisero di marciare su Roma per tentare il «colpo di Stato». Il capo del governo, Luigi Facta, propose al Re di firmare un decreto di stato d'assedio, ma il Re si rifiutò di firmare.
Mussolini che era a Milano, pronto a fuggire in Svizzera se le cose fossero andate male, andò subito a Roma per ricevere dal Re l'incarico di formare il nuovo governo e per presentarsi davanti al Parlamento, il quale gli votò la fiducia.

1. ***Manganello:*** bastone. Strumento tipico della violenza fascista, usato spesso contro coloro che non volevano accettare il fascismo («sui crani refrattari»).

Preparate il mio discorso funebre

Divenuto capo di un governo di cui facevano parte anche alcuni ministri liberali e popolari, Mussolini fece subito approvare una serie di leggi che favorivano il grande capitale e diminuivano gli stipendi.
Questa politica economica, unita alla fase di espansione che in quegli anni interessò tutta l'economia europea ed americana, dette buoni frutti. Così per Mussolini fu più facile cominciare a costruire uno Stato autoritario.
Nel 1923 fu istituita la Milizia volontaria per la sicurezza nazionale, che di fatto era un esercito fascista composto dagli elementi meno capaci e più violenti del partito, e il Gran Consiglio del fascismo, una specie di Parlamento, nominato direttamente da Mussolini.
Nell'aprile 1924 ci furono le elezioni, fatte in mezzo alla paura e alla violenza delle squadre fasciste. La lista fascista, in cui erano anche alcuni liberali, ottenne circa il 65% dei voti, i popolari il 9%, le sinistre (socialisti e comunisti) il 15%.
Quando il nuovo Parlamento si riunì per la prima volta il deputato socialista Giacomo Matteotti denunciò tutti i sistemi contrari alle leggi con cui erano state condotte le elezioni.
In mezzo alle minacce e alle offese dei fascisti Matteotti, calmo e deciso, disse fino in fondo quello che aveva da dire: «...Se nominalmente la maggioranza governativa ha ottenuto quattro milioni di voti, noi sappiamo che questo risultato è la conseguenza di una mostruosa violenza... Voi volete rigettare il Paese indietro, verso l'assolutismo. Noi difendiamo la libera

Giacomo Matteotti, deputato socialista ucciso dai fascisti nel 1924.

sovranità del popolo italiano, al quale rivolgiamo il nostro saluto e del quale salvaguarderemo la dignità domandando che si faccia luce sulle elezioni». Quando ebbe finito disse ai suoi amici: «Adesso potete preparare il mio discorso funebre», dimostrando di conoscere bene Mussolini e i suoi compagni.
Pochi giorni dopo il coraggioso deputato veniva rapito ed ucciso.
Quando il cadavere, due mesi più tardi, fu ritrovato, nel Paese ci fu un momento di generale ribellione contro i fascisti e il governo, che ben pochi ritenevano estraneo all'assassinio. Mussolini stesso pensò che fosse la fine.
Ma i deputati dell'opposizione commisero un errore gravissimo poiché per protesta abbandonarono il Parlamento e non seppero guidare il popolo né proporre una reale alternativa o convincere il Re a togliere la fiducia a Mussolini.
Così l'occasione che socialisti, popolari e liberali si lasciarono sfuggire fu colta da Mussolini, il quale invece possedeva questa capacità politica di sapere riconoscere e scegliere le occasioni giuste.
Il 3 gennaio 1925 si presentò al Parlamento e con tono di sfida si assunse la responsabilità del delitto Matteotti: «Dichiaro qui, al cospetto di questa assemblea e al cospetto di tutto il popolo italiano, che io assumo, io solo, la responsabilità politica, morale, storica di tutto quanto è avvenuto».
Il Parlamento non era in grado di raccogliere questa grave sfida e così fu la sua fine e quella dello Stato liberale.
Le conseguenze non si fecero aspettare. In breve tempo fu soppressa la libertà di stampa, furono sciolti tutti i Partiti tranne quello fascista, allontanati dalla Camera i deputati dell'opposizione, istituita la pena di morte per i reati[1] politici.
Al capo del governo, che volle chiamarsi Duce, furono attribuiti poteri speciali: poteva nominare i ministri a piacere suo, comandava l'esercito, doveva rendere conto delle sue decisioni solo al Re.

1. ***Reato:*** infrazione di un comando o divieto posto da una norma penale.

Mussolini ha sempre ragione

Eliminati in un modo o nell'altro gli avversari, l'opposizione parlamentare e l'opposizione operaia, il fascismo si trasformò da governo in dittatura, un regime del quale il Duce, che «aveva sempre ragione»[1] era il dio.

Questo dio, poiché non sapeva fare miracoli, cercò con tutti i mezzi possibili il consenso del paese. Utilizzò prima di tutto giornali, radio e cinema che informavano continuamente gli Italiani dei successi dell'Italia fascista; esaltavano la figura del Duce che «aveva messo la sua saggezza, il suo eroismo e la sua grande intelligenza al servizio del suo popolo».

Il culto della forza fisica era uno dei temi più frequenti della propaganda del regime e Mussolini e i suoi uomini si facevano fotografare mentre sciavano, mentre andavano in motocicletta o a cavallo, mentre saltavano alti muri. Mussolini amava anche apparire in pubblico, davanti a grandi masse di gente, alle quali parlava con il suo stile particolare ed efficace, fatto di frasi semplici, ripetute più volte con tono aggressivo. I discorsi di Mussolini piacevano alla gente poiché proclamava la superiorità del popolo italiano, la grandezza del suo passato e la gloria del suo avvenire.

Il Duce aveva anche capito la grandissima importanza che aveva la scuola per la creazione del consenso e perciò, appena andato al potere se ne era occupato. Fu fatta nel 1923 una riforma generale della scuola che prese il nome di riforma Gentile, poiché fu il filosofo Giovanni Gentile[2] che ne preparò il progetto. Ma Mussolini non fu soddisfatto di questa riforma: la nuova scuola assomigliava troppo a quella precedente e i docenti conservavano troppa libertà nell'insegnamento. Così pensò di creare delle organizzazioni giovanili, riunite sotto il nome di Opera Nazionale Balilla, in cui i ragazzi e le ragazze da 8 a 18 anni fossero addestrati con gli esercizi fisici e con le armi e fossero educati al culto del Duce, del coraggio, della

1. «Il Duce ha sempre ragione» era una delle tante frasi famose inventate da Mussolini per fare effetto sulle folle. Altre erano: «Credere! Obbedire! Combattere!»; «Se avanzo seguitemi, se indietreggio uccidetemi, se muoio vendicatemi!»; «Meglio vivere un giorno da leoni che cent'anni da pecora!». Queste frasi venivano pronunciate spesso dal Duce nei suoi discorsi e ripetute dalla gente; venivano anche scritte sui muri e insegnate agli scolari.

2. ***Giovanni Gentile:*** filosofo e uomo politico (Trapani, 1875-Firenze, 1944). Insegnò storia della filosofia all'Università fin dal 1907 e collaborò con Benedetto Croce fino al 1923. Contrariamente a quanto fece Croce, Gentile aderì al fascismo e come ministro della Pubblica Istruzione fece una vasta riforma della scuola (1923). Fu negli anni Trenta la massima figura ufficiale della cultura umanistica italiana. Il 15-4-1944 fu ucciso a colpi di pistola da antifascisti.
Tra le sue opere più importanti ricordiamo: «La riforma della dialettica hegeliana», «Teoria generale dello spirito come atto puro», «Sommario di pedagogia come scienza filosofica».

Il Popolo d'Italia

Mussolini riconsacra l'Italia di Vittorio Veneto
creandole un Governo degno dei suoi immancabili destini

Il nuovo Presidente del Consiglio

L'ordine di smobilitazione

Il «Popolo d'Italia» del 31 ottobre 1922 dà la notizia del nuovo governo di Mussolini con tono di trionfo.

La firma dei Patti lateranensi da parte del card. Gasparri e di Mussolini.

patria e all'odio per i nemici. Nella scuola inoltre gli insegnanti e i libri furono sempre più controllati; furono introdotte sempre più cerimonie, immagini, linguaggi, cultura di tipo fascista, con molte censure, anche ridicole, di tutto quanto non era gradito al regime.

Ci fu poi il capolavoro di Mussolini, l'accordo fra lo Stato italiano e il Vaticano, che più di tutto rafforzò il prestigio del fascismo di fronte al popolo italiano e anche all'estero.

La Conciliazione si fece l'11 febbraio 1929 con i Patti lateranensi[3] in base ai quali lo Stato italiano dava al Papa il piccolo Stato della Città del Vaticano e riconosceva alla Santa sede una serie di garanzie anche economiche. Il Papa, dopo sessanta anni, riconosceva lo Stato italiano e trattava con esso regolando, attraverso un «Concordato», le condizioni della religione e della Chiesa in Italia.

Con gli articoli 34 e 36 lo Stato riconosceva effetti civili al matrimonio religioso. Considerava «fondamento e coronamento dell'istruzione pubblica l'insegnamento della dottrina cristiana, secondo la forma ricevuta dalla tradizione cattolica...».

Il Papa non poteva non essere soddisfatto di quanto aveva ottenuto in un'Italia nata e cresciuta come Stato laico. E non poteva non esserlo Mussolini che ebbe l'importante appoggio della Chiesa e fu definito dal Papa Pio XI «l'uomo della Provvidenza».

3. I Patti furono detti «lateranensi» perché furono firmati nel Palazzo del Laterano.

Darei la vita per le mie idee

Il regime fascista, come ogni regime totalitario[1] non tollerava l'opposizione. Contro di essa fu istituita l'OVRA, la polizia politica del regime, e un Tribunale speciale che condannava tutti quelli che «non credevano e non ubbidivano» alla galera, all'isolamento in piccoli centri lontani dalle città, qualche volta alla morte. Si calcola che tra il 1926 e il 1943 furono condannate circa 5000 persone. Le condanne a morte pronunciate dal Tribunale furono 29 e solo 3 furono eseguite. Ma molti uomini dell'opposizione, come Giovanni Amendola[2] e Piero Gobetti[3], morirono dopo essere stati picchiati in modo selvaggio dagli uomini della Milizia fascista. Nel 1926, nonostante che fosse deputato, fu arrestato anche Antonio Gramsci, capo del Partito comunista.
Il Tribunale lo condannò a 20 anni di galera poiché, come aveva detto Mussolini, «per venti anni si doveva impedire a quel cervello di funzionare». Ma il carcere, la malattia che a poco a poco distruggeva il suo debole organismo, il dolore per la separazione dalla famiglia, non furono sufficienti ad impedire al cervello di Gramsci di funzionare.
Abbiamo i suoi «Quaderni» scritti in carcere e pubblicati dopo la caduta del fascismo. I temi trattati sono moltissimi: appunti

1. ***Totalitario:*** si dice di uno Stato moderno in cui sono state rifiutate le istituzioni caratteristiche dello Stato liberale e democratico e c'è l'assoluta concentrazione del potere nelle mani di un solo partito o gruppo.

2. ***Giovanni Amendola:*** scrittore, uomo politico (Napoli, 1882-*Cannes*, 1926). Scrisse saggi di filosofia e di letteratura, fu collaboratore di importanti quotidiani. Sostenne sempre il liberalismo democratico e fu avversario del fascismo. Morì in esilio, in Francia, in seguito alle botte ricevute alcuni mesi prima dai fascisti.

3. ***Piero Gobetti:*** scrittore e uomo politico (Torino, 1901-Parigi, 1926). Pubblicò molti saggi e curò la critica teatrale sulla rivista di Gramsci «Ordine nuovo». Scrisse nel 1922 il «Manifesto della rivoluzione liberale» dove dimostrava che il liberalismo in Italia ha tradito la sua funzione storica. Riconosceva che l'unica forza capace di rinnovare la vita politica del Paese è il movimento operaio, ma rimaneva contrario ad ogni forma di socialismo di Stato.
Morì a Parigi, dove era andato con l'intenzione di continuare a scrivere e a pubblicare, in seguito alle violenze subite da alcuni fanatici fascisti.

Ritratto di Antonio Gramsci, fondatore del Partito comunista italiano.

su letture fatte e pensieri sulla filosofia, sulla storia, sui partiti moderni, sulla letteratura, sull'educazione dei giovani. Il tema dell'educazione interessava moltissimo Gramsci perché ne capiva l'importanza sociale e politica. Si preoccupava anche dei figli e cercava, attraverso le lettere, di partecipare alla loro educazione, per la quale raccomandava alla moglie una certa severità.

In tutte le lettere troviamo grande serenità e ricchezza di affetti, nessun rancore verso i nemici. Il linguaggio è sempre assai chiaro e semplice. Tra le lettere più belle una, indirizzata alla madre, scritta pochi giorni prima del processo, è quasi un testamento morale:

«Carissima mamma, non ti vorrei ripetere ciò che ti ho spesso scritto per rassicurarti sulle mie condizioni fisiche e morali. Vorrei per essere proprio tranquillo, che tu non ti spaventassi o ti turbassi troppo qualunque condanna stiano per darmi. Che tu comprendessi bene, anche col sentimento, che io sono un detenuto politico e sarò un condannato politico, che non ho e non avrò mai da vergognarmi di questa situazione. Che, in fondo, la detenzione e la condanna le ho volute io stesso, in certo modo, perché non ho mai voluto mutare le mie opinioni, per le quali sarei disposto a dare la vita e non solo a stare in prigione. Che perciò io non posso che essere tranquillo e contento di me stesso.

Cara mamma vorrei proprio abbracciarti stretta stretta, perché sentissi quanto ti voglio bene e come vorrei consolarti di questo dispiacere che ti ho dato: ma non potevo fare diversamente. La vita è così, molto dura, e i figli qualche volta devono dare dei grandi dolori alle loro mamme, se vogliono conservare il loro onore e la loro dignità di uomini».

Alla fine del 1933 Antonio Gramsci era già gravemente ammalato e morirà il 27 aprile 1937 in una clinica di Roma.

Nessuno parteciperà al suo funerale.

L'ora fatale

A partire dal 1930 gli effetti della grande crisi economica del 1929 si fecero sentire anche in Italia.
Ci furono disagi per tutti e per molti tornò la fame.
Il regime cercò di rimediare sia portando avanti una vasta serie di lavori pubblici, sia favorendo in tutti i modi i prodotti nazionali. La crisi comunque scosse il prestigio del regime, e Mussolini pensò di riacquistarlo con una prova di forza sul piano della politica estera.
Fu scelta la conquista dell'Etiopia, l'ultimo Stato africano rimasto indipendente. Le operazioni militari furono molto rapide poiché l'esercito italiano aveva armi più potenti e fu facile vincere. Il 5 maggio 1936 il Duce annunciò che l'Italia

L'Italia ha finalmente un Impero. Il Duce lo annuncia sorridendo.

aveva finalmente un suo Impero e ciò piacque alla gente. I contadini speravano ancora una volta di poter avere terra da coltivare, i borghesi nazionalisti avevano la soddisfazione di vedere vendicata la sconfitta di Adua.

Questa soddisfazione non fu tuttavia priva di conseguenze. L'impresa etiopica, fatta con l'opposizione di Francia e Inghilterra, aveva infatti posto l'Italia in una posizione di isolamento nei confronti delle altre nazioni che incoraggiò l'avvicinamento alla Germania di *Hitler*. I rapporti fra Italia e Germania, i cui regimi si rifacevano agli stessi principi, presero poi la forma di un'alleanza vera e propria (il Patto d'acciaio) che in caso di guerra prevedeva l'intervento dell'Italia a fianco della Germania.

Poco dopo, la guerra ci fu davvero (1 settembre 1939), ma Mussolini, a cui erano state nascoste le vere intenzioni di *Hitler*, fu colto di sorpresa ed essendo consapevole della mancanza di preparazione militare dell'Italia, non osò muoversi.

Già verso il gennaio del 1940 tuttavia il Duce cominciava ad avere dei dubbi; temeva di arrivare troppo tardi. Il ministro degli esteri, Galeazzo Ciano[1], era contrario a questa guerra e non aveva molta simpatia per i Tedeschi. Egli non riuscì tuttavia a trattenere Mussolini, sempre più convinto che il conflitto sarebbe stato di breve durata e di sicuro successo.

«Ho bisogno – aveva detto Mussolini – di alcune migliaia di morti per sedermi al tavolo della pace».

Nel Paese non c'era nessuno entusiasmo per la guerra e per tutto il mese di aprile il Duce criticò i suoi connazionali perché si dimostravano stupidi non volendo capire che solo la guerra avrebbe determinato la grandezza della nazione. Si dette anche molto da fare con la propaganda. Si faceva credere alla gente che Mussolini conosceva, meglio di ogni altro, le armi e la scienza necessarie alla guerra moderna, che gli inglesi erano troppo vigliacchi per battersi sul serio e che pertanto la vittoria era sicura.

Quando l'esercito tedesco avanzò in Belgio e in Francia, aumentò il numero di coloro che pensavano che il Duce poteva avere ragione e molti capi fascisti si lasciarono del tutto convincere.

Il 10 giugno 1940 Mussolini dichiarò guerra a Francia e Inghilterra e annunciò al popolo italiano che era giunta «l'ora fatale».

«La notizia della guerra non sorprende nessuno – scrisse nel suo diario Galeazzo Ciano – e non desta eccessivi entusiasmi. Io sono triste: molto triste. L'avventura comincia. Che Dio assista l'Italia».

1. ***Galeazzo Ciano:*** uomo politico (Livorno, 1903-Verona, 1944). Entrò presto nella carriera diplomatica e rimase alcuni anni all'estero. Sposò nel 1930 la figlia maggiore di Mussolini. Dal 1936 fu ministro degli Esteri, ma per quanto riguarda la II guerra mondiale non fu del tutto d'accordo con il suocero. Nel 1942 aveva capito bene il pericolo ed essendo in pieno disaccordo con Mussolini si dimise dalla sua carica di ministro.
Il 25 luglio 1943, nel Gran Consiglio del fascismo votò contro Mussolini. Arrestato e portato in Germania dopo l'armistizio fu condannato a morte e ucciso a Verona l'11.1.1944. Lasciò un «Diario», pubblicato dopo la sua morte, che è stato molto discusso.

Centomila gavette di ghiaccio

Mussolini aveva sempre sognato di poter essere un comandante vittorioso di una grande guerra, tanto che aveva detto ai suoi collaboratori: «Se ci sarà la guerra... è inteso che io non resterò a Roma. Monterò a cavallo e sarò al mio posto di comando».
Quando perciò la guerra fu dichiarata non esitò ad aggiungere alle altre sue numerose responsabilità quella di comandante supremo delle operazioni militari. Così oltre ad avere un esercito male armato e male addestrato l'Italia ebbe anche una forte carenza di organizzazione e di scienza militare. Mussolini, sperando di sedersi al tavolo della pace con alcuni successi, pensò di fare una guerra «parallela»[1] a quella della Germania, con proprie forze e propri obiettivi, ma le varie operazioni militari andarono molto male. Sia in Africa sia in Grecia dovettero intervenire i Tedeschi per evitare il peggio.
L'Italia si mise così in condizioni di dipendenza assoluta nei confronti della sua alleata. Al momento dell'aggressione all'Unione Sovietica da parte della Germania Mussolini non poté non inviare un'armata in Russia, pur sapendo che gli Italiani che dovevano affrontare i Russi e il gelo, erano male armati, vestiti con divise di finta lana e scarpe di cartone, privi di adeguati mezzi di trasporto. Giulio Bedeschi, nel suo libro «Centomila gavette[2] di ghiaccio» ci racconta la tragica avventura russa della Divisione alpina Julia, a cui lui partecipò come sottotenente medico. La Julia, insieme con altre divisioni italiane, tedesche, ungheresi, si trovò circondata dall'esercito russo lungo il corso del fiume Don. Fu costretta a ritirarsi camminando giorno e notte con 40° sotto zero, senza riposo né cibo e dovendo passare in mezzo all'esercito russo. Il 17 gennaio 1943 la Julia riceve l'ordine di abbandonare tutto per tentare di sfondare le linee nemiche:
«Alle cinque del mattino partenza. Ordini: alleggerire al massimo il reparto, porteremo con noi solamente le armi e le munizioni trasportabili con le slitte. I viveri, come sapete, sono esauriti; gli uomini caricheranno su di sé le armi individuali e resteranno con i soli indumenti che indossano, tutti gli altri materiali devono essere distrutti immediatamente, compresi gli zaini degli ufficiali e dei soldati....
Pochi minuti dopo, i muli[3] e le slitte uscivano dalle stalle, all'incerto chiarore gli artiglieri alpini frugavano negli zaini togliendo affannosamente le cose più preziose: un paio di calze, fiammiferi, una candela, alcuni fazzoletti, una maglia stinta, il paio di guanti di ricambio; facevano scomparire il tutto nelle tasche, ficcavano le cose più voluminose sotto la giubba, le annodavano alla vita, si legavano a tracolla la coperta e infine con gesto desolato lasciavano cadere sulla neve il rimanente, dando un'ultima occhiata allo zaino vuoto, vecchio pesante amico tante volte maledetto, che s'afflosciava come un cencio. Aveva servito da sedile, da cuscino, da riparo; era un vero dolore, un tradimento abbandonarlo in fretta tra le mutande e le carte stracce, ma quello era l'inesorabile ordine....

1. ***Parallelo:*** l'aggettivo si riferisce ad enti geometrici che non hanno alcun punto in comune. Si usa, in senso figurato per indicare un rapporto in cui c'è qualche integrazione fra i due termini del rapporto stesso, ma anche autonomia.

2. ***Gavetta:*** recipiente di metallo in cui i soldati ricevono e consumano il cibo.

3. ***Mulo:*** animale ottenuto dall'incrocio di un asino e di una cavalla. È un animale molto robusto che veniva usato dagli alpini per trasportare i carichi più pesanti e per tirare le slitte.

Fronte russo. Una postazione italiana fra le nevi.

Gli alpini guardavano la distruzione con dolorosa fissità, una gran pena era scesa sulla Julia. Nei dintorni, immani bagliori si diffondevano nel cielo ad annunciare che anche le altre divisioni nei paesi vicini stavano bruciando tutto fuorché le armi e le slitte, e che oltre centomila uomini si privavano tragicamente di ogni bene nel tentativo di serbarne uno solo: la vita. Centomila gavette vuote di cibo, colme di ghiaccio, costellavano la neve e segnavano la sorte dei combattenti imprigionati nella sacca[4] presso il Don»[5].

I soldati partiti per la Russia erano 200.000, ne tornarono appena la metà. Dei 230 del gruppo di Bedeschi solo 14 rividero l'Italia. Quando vi giunsero fu loro proibito di affacciarsi ai finestrini del treno.

Se la popolazione avesse visto come erano ridotti, non avrebbe più creduto che l'Italia poteva ancora vincere la guerra.

4. ***Sacca:*** il termine indica qui lo spazio in cui i soldati italiani erano stati respinti, e poi chiusi, dall'esercito russo.

5. Giulio Bedeschi, «Centomila gavette di ghiaccio», Mursia, Milano 1970, pp. 291-292.

Tutti a casa

Nel 1943, mentre la situazione militare precipitava e le città italiane subivano terribili bombardamenti, cresceva fra la popolazione la rabbia contro il fascismo. Tra gli stessi uomini del regime si pensava che fosse assolutamente necessario abbandonare i Tedeschi e che era inutile continuare una guerra già perduta.
Quando, nel luglio, Mussolini tornò da un convegno con *Hitler* senza neppure aver tentato di convincerlo che era meglio che Italia e Germania «si separassero», per molti fu chiaro che la prima cosa da fare era liberarsi del Duce. Il 25 di quello stesso mese il Gran Consiglio del fascismo chiese al Re di riprendersi i poteri civili e militari. Il Re fece arrestare Mussolini e mise Pietro Badoglio, un vecchio militare piemontese, a capo del nuovo governo.
Quando gli Italiani appresero la notizia vi furono ovunque scene di grande gioia ed entusiasmo. Si pensava che con la fine del regime fascista ci sarebbe stata anche la fine della guerra e delle sofferenze. Non fu così.
In questa situazione assai difficile ci sarebbe stato bisogno di un ministro deciso e con le idee chiare; Badoglio invece di idee chiare non ne aveva e inoltre voleva salvare la Monarchia e accontentare un po' tutti i Partiti.
Appena assunto il governo fece questo comunicato: «La guerra continua.
L'Italia, duramente colpita nelle sue province invase, nelle sue città distrutte, mantiene fede alla parola data, gelosa custode delle sue millenarie tradizioni...». Ma poco dopo prendeva segretamente contatti con gli alleati per un eventuale armistizio[1].
E perdeva intanto del tempo prezioso mentre gli alleati ogni giorno facevano cadere bombe sulle città italiane e i Tedeschi vi facevano arrivare migliaia di soldati.
Alla fine Badoglio si decise ad accettare la resa senza condizioni[2] e l'armistizio venne firmato a Cassibile, un piccolo villaggio siciliano, il 3 settembre, ma fu in un primo momento tenuto segreto.
La sera dell'8 settembre il capo del governo annunciò l'armistizio, ordinò alle truppe di cessare ogni resistenza contro gli anglo-americani e di resistere invece «ad eventuali attacchi di altra provenienza».
Date queste generiche disposizioni, Badoglio seguì il Re nella sua fuga verso Brindisi dove già erano arrivati gli alleati.
Così, da un giorno all'altro, l'Italia si trovò senza un governo, con i Tedeschi (che non erano più amici) in casa, le città distrutte dalle bombe, la gente sconvolta dalla fame e dalla mancanza di notizie sicure.
In questo stato di confusione totale ognuno si trovò solo a fare le proprie scelte e si regolò secondo la propria coscienza. Per i più, per la grande maggioranza dei soldati che improvvisamente si erano trovati senza capi e senza ordini, senza sapere bene

1. ***Armistizio:*** sospensione delle ostilità concordata fra due o più gruppi in guerra.
2. Si ha una resa senza condizioni quando in guerra colui che è stato vinto cessa ogni resistenza ed è disposto ad accettare qualsiasi imposizione da parte del vincitore.

Manifestazione popolare per la caduta del fascismo (1943).

chi erano i nemici e chi gli amici, la scelta fu quella della strada di casa. Ma non tutti arrivarono a casa.
Quelli meno fortunati o meno accorti che caddero nelle mani dei Tedeschi finirono in Germania, nei campi di concentramento, e moltissimi non rividero mai la propria casa.
Intanto l'Italia si trovò divisa in due. A Sud c'erano il governo di Badoglio e gli eserciti alleati che il 1 ottobre avevano raggiunto Napoli ed erano stati fermati dai Tedeschi presso Montecassino (Frosinone). A Nord c'erano i Tedeschi e un governo fascista[3], a capo del quale i Tedeschi avevano messo Mussolini che loro stessi avevano liberato.
La tragedia italiana era completa.

3. Il nuovo governo fascista ebbe sede a Salò, sul Lago di Garda, e fu perciò chiamato «Repubblica di Salò».

La famiglia Cervi al completo.

Dopo un raccolto ne viene un altro

Nell'ottobre 1943 Badoglio dichiarò guerra alla Germania e in Italia cominciarono ad operare i primi gruppi di partigiani organizzati dal Partito comunista e dagli altri Partiti antifascisti.
I partigiani erano soldati che si rifugiavano in montagna per sfuggire ai Tedeschi, giovani che non volevano finire nel nuovo esercito fascista, volontari dei Partiti antifascisti. Ogni Partito aveva i suoi gruppi partigiani, ma nella lotta contro tedeschi e fascisti vi fu unità e nel 1944 tutti i partigiani furono posti sotto il comando unificato del «Corpo Volontari della libertà».
Dalle montagne del Piemonte e delle altre regioni del Centro-Nord i partigiani scatenavano operazioni di guerriglia, sabotaggi, attentati; agivano nelle città e nelle campagne occupate dai Tedeschi. I risultati della Resistenza partigiana furono importanti sia sul piano militare sia su quello morale poiché vi collaborò tutta la popolazione. I contadini fornivano cibo e stalle in cui nascondersi. Le donne, nelle città distribuivano giornali clandestini, portavano messaggi e qualche volta bombe, nascoste nella borsa della spesa.
Alle azioni dei partigiani i nazisti e i fascisti rispondevano con terribili vendette. Nelle fosse Ardeatine, presso Roma, per vendicare 32 morti fra le SS tedesche furono uccisi 335 Italiani. A Marzabotto (Bologna) furono uccise 2000 persone, fra cui 200 bambini, perché si diceva che tutta Marzabotto era partigiana. E molti altri furono i delitti commessi contro la popolazione civile.
A Reggio Emilia furono fucilati i sette fratelli Cervi a cui il padre aveva insegnato ad amare la libertà e ad odiare la violenza e che dopo l'armistizio collaborarono con i partigiani.
Anche papà Cervi viene preso insieme ai figli, ma rilasciato dopo qualche giorno di carcere. Quando sa della morte dei figli fa questa amara e bellissima riflessione: «Ma alla morte, alla

morte non ci avevo mai pensato. Ben meritato è il rimorso, per me superbioso[1], che vi credevo intoccabili dalla morte. E se anche in carcere lo dicevo, che potevate essere morti, il sangue non ci credeva e si ribellava. Ma i padri e le madri sono fatti così, adesso lo capisco. Pensano che loro moriranno, che anche il mondo morirà, ma che i loro figli non li lasceranno mai, nemmeno dopo la morte, e che staranno sempre a scherzare coi loro bambini, che hanno cresciuto per tanti anni, e la morte è un'estranea. Che ne sa la morte dei nostri sacrifici, dei baci che voi mi avete dati fino a grandi, delle veglie che ho fatto io sui vostri letti, sette figli, che prendono tutta una vita».

Dopo questa riflessione Alcide Cervi pianse un poco, ma subito disse: «Dopo un raccolto ne viene un altro. Andiamo avanti»[2]. E siccome il raccolto non viene da sé, si mise ad insegnare agli undici nipoti quello che aveva già insegnato ai figli.

Oltre ai fratelli Cervi la Resistenza italiana ebbe molti altri eroi, protagonisti di episodi più o meno noti, che lottarono e morirono per la libertà.

Quando gli alleati riuscirono ad arrivare nell'Italia del Centro-Nord (25 aprile 1945) le città erano già state liberate dalle forze partigiane che avevano anche salvato i principali impianti industriali. La guerra era finita.

Due giorni dopo Mussolini fu fermato a Dongo, sul Lago di Como, dai partigiani, mentre tentava di lasciare l'Italia. Venne fucilato il 28 aprile insieme alla sua donna, Clara Petacci, che aveva insistito per morire con lui.

1. ***Superbioso:*** aggettivo che si usa, e soprattutto si usava, nelle campagne, al posto di superbo.

2. Alcide Cervi - R. Nicolai, «I miei sette figli» Editori Riuniti, Roma 1971, p. 137.

Alcide Cervi.

ITALIA: ORDINAMENTO DELLO STATO REPUBBLICANO

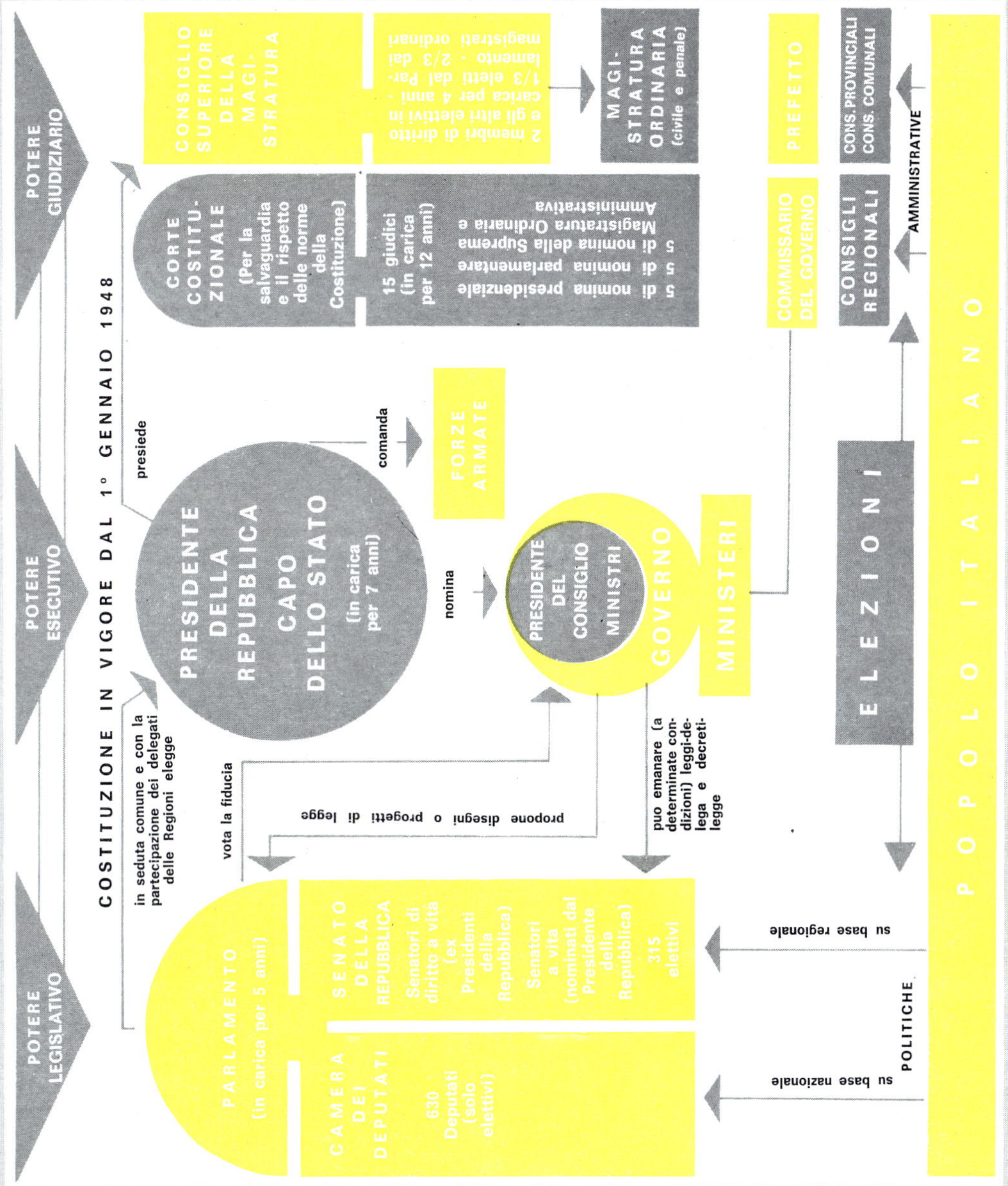

PARTE VI

L'Italia è una Repubblica

Le condizioni dell'Italia alla fine della II guerra mondiale erano disastrose. Un quinto del patrimonio nazionale era stato distrutto con danni enormi alle città, alle strade, alle ferrovie; del numero dei morti non si aveva un'idea precisa, così come non si potevano contare i vivi che non avevano pane né casa.
Poco alla volta le truppe alleate si erano ritirate e nel gennaio 1946 il governo italiano aveva ripreso l'amministrazione di tutto il territorio nazionale. Il popolo aveva subito e subiva ancora sofferenze e disagi, ma credeva in un futuro migliore, fatto di pace, libertà e progresso.
Dal dicembre 1945 era capo del governo Alcide de Gasperi, segretario della Democrazia cristiana, il nuovo Partito fondato dopo la caduta del fascismo da un gruppo di «popolari» [1]. Facevano parte del governo uomini dei Partiti che avevano partecipato alla Resistenza. C'era ancora il Re Vittorio Emanuele III che solo il 9 maggio 1946 rinuncerà al trono in favore del figlio Umberto.
Gli Italiani dovevano innanzi tutto decidere se volevano ancora la Monarchia. Fu fissato per il 2 giugno il referendum [2] attraverso il quale il popolo avrebbe stabilito se l'Italia del dopoguerra e del dopo-fascismo doveva essere una Monarchia o una Re-

1. Si dicevano «popolari» nel senso che prima della guerra avevano fatto parte del Partito popolare, fondato da don Luigi Sturzo e da un gruppo di uomini politici cattolici nel 1919.
2. Vedi «plebiscito», nota 4 in «Qualche cosa faremo» (a pag. 80 del volume).

5 giugno 1946. I giornali danno le prime notizie sui risultati del referendum.

pubblica. Nella stessa data si sarebbe votato per eleggere l'Assemblea Costituente a cui spettava il compito di preparare una nuova Costituzione.

La campagna elettorale fu vivace, ma senza incidenti. I Partiti politici più importanti (Partito socialista, Partito comunista, Democrazia cristiana, Partito repubblicano) erano per la Repubblica, ma nessuno pensava che la partita fosse già vinta. Al Sud, si sapeva, la gente aveva un forte sentimento monarchico e anche con questo si dovevano fare i conti.

Non si poteva inoltre escludere che si arrivasse a disordini e violenze, visto che i passaggi di regime raramente avvengono in modo pacifico.

I fedeli del Re cercavano di creare nella gente la paura del «salto nel buio» ricordando che la Monarchia aveva la certezza del noto, la Repubblica era l'ignoto.

Il socialista Pietro Nenni cercava di calmare tutti e scrisse in quei giorni un articolo sull'«Avanti!» che aveva questo titolo significativo: «Non accadrà nulla. Non deve accadere nulla».

Arrivò il 2 giugno e gli Italiani si recarono a votare nella massima calma e in un'aria quasi di festa, poiché si tornava a votare dopo tanti anni. Per la prima volta votavano tutti: gli uomini e, finalmente, anche le donne con più di ventuno anni.

I risultati furono i seguenti: per la Repubblica il 54% dei voti, per la Monarchia il 46%.

L'Italia per volontà popolare era dunque una Repubblica. Il 10 giugno i giudici della Corte di Cassazione, a Montecitorio, proclamarono ufficialmente il cambiamento di regime e due giorni dopo il governo nominò De Gasperi Capo provvisorio dello Stato.

Al Re non rimaneva altro da fare che lasciare l'Italia poiché, come lui stesso aveva detto, «la consuetudine vuole che i Re deposti non soggiornino nei Paesi che li videro regnare».

Il 28 giugno l'Assemblea Costituente votò per scegliere il primo Presidente della Repubblica. Fu eletto Enrico De Nicola, illustre giurista, uomo di grande valore e saggezza.

Viveva a Torre del Greco (Napoli) e quando si seppe della sua elezione gli abitanti della cittadina, che in grande maggioranza aveva votato per la Monarchia, si recarono presso la sua villa gridando: «Viva Don Enrico, viva la Repubblica!».

De Nicola, e non solo lui, pensò che il Paese sarebbe stato allora veramente unito nella lotta per la pace e per il bene pubblico.

La Costituzione repubblicana

Oltre alla vittoria della Repubblica, il 2 giugno 1946 vide anche la vittoria della Democrazia cristiana che lasciò tutti un po' sorpresi. Le elezioni per la Costituzione dettero infatti i seguenti risultati, indicativi delle idee politiche del Paese. La Democrazia cristiana ottenne il 35% dei voti e 207 seggi[1] alla Costituente, il Partito socialista ottenne il 20,7% dei voti, il Partito comunista il 19%, il Partito repubblicano il 4,4%. I voti rimanenti andarono dispersi fra altri Partiti minori.
All'interno dell'Assemblea Costituente fu nominata una Commissione di settantacinque membri che preparò il testo della nuova Costituzione approvato il 22 dicembre 1947. Il Presidente di questa Assemblea fu il comunista Umberto Terracini.
Nata direttamente dalla Resistenza la Costituzione si ispira a ideali di libertà e democrazia.
Aldo Moro, allora giovane della DC quasi sconosciuto, che faceva parte della Commissione dei Settantacinque aveva detto: «... non possiamo prescindere da quello che è stato, perché questa Costituzione oggi emerge da quella Resistenza, da quella lotta, da quella mediazione per le quali ci siamo trovati insieme sul fronte della Resistenza e della guerra rivoluzionaria e ora ci troviamo insieme per l'affermazione dei valori supremi della dignità umana e della vita sociale».
L'articolo 1 dice: «L'Italia è una Repubblica democratica fondata sul lavoro. La sovranità appartiene al popolo, che la esercita nelle forme e nei limiti della Costituzione».

1. ***Seggio:*** posto in Parlamento o nel Consiglio comunale o in altre Assemblee, come in questo caso la Costituente, che hanno potere politico.

Il Capo provvisorio dello Stato, Enrico de Nicola, firma la Costituzione nazionale che dal 1 gennaio 1948 regola la vita dello Stato e del cittadino.

E la Costituzione prevede che la sovranità popolare si eserciti attraverso il voto, libero e segreto, di tutti i cittadini che così eleggono i propri rappresentanti in Parlamento. Il Parlamento è composto dal Senato e dalla Camera dei Deputati ed esercita il potere legislativo. Il potere esecutivo è esercitato dal governo, composto dai ministri e dal presidente del consiglio dei ministri. Il potere giudiziario è esercitato dalla magistratura che è indipendente. L'articolo 101 dice: «La giustizia è amministrata in nome del popolo. I giudici sono soggetti soltanto alla legge». Il Presidente della Repubblica è il Capo dello Stato e rappresenta l'unità nazionale; viene eletto ogni sette anni dal Parlamento.
Sono riconosciuti come Enti autonomi, con propri poteri e funzioni, le Regioni, le Provincie e i Comuni che hanno un ordinamento simile a quello dello Stato.
I rapporti civili ed etico-sociali (associazioni, stampa, famiglia, scuola) sono ispirati ai principi contenuti nell'articolo 3: «Tutti i cittadini hanno pari dignità sociale e sono uguali davanti alla legge, senza distinzione di sesso, di razza, di lingua, di religione, di opinioni politiche, di condizioni personali e sociali. È compito della Repubblica rimuovere gli ostacoli di ordine economico e sociale, che, limitando di fatto la libertà e l'uguaglianza dei cittadini, impediscono il pieno sviluppo della persona umana e l'effettiva partecipazione di tutti i lavoratori all'organizzazione politica, economica e sociale del Paese».
L'articolo 7 regola i rapporti fra lo Stato e la Chiesa: «Lo Stato e la Chiesa cattolica sono, ciascuno nel proprio ordine, indipendenti e sovrani. I loro rapporti sono regolati dai Patti lateranensi. Le modificazioni dei Patti, accettate dalle due parti, non richiedono procedimenti di revisione costituzionale». La sua approvazione dette non pochi problemi alla Costituente, divisa fra le posizioni rigide della DC e quelle dei partiti laici, che non vedevano nessuna necessità di far entrare i Patti lateranensi nella Costituzione. L'articolo 7 fu approvato con i voti favorevoli dei comunisti.
E solo dopo trentasei anni i Patti sono stati modificati. Il nuovo Concordato tra lo Stato italiano e la Santa Sede è stato firmato il 18 febbraio 1984. Con esso la religione cattolica non è più religione ufficiale dello Stato italiano e ci sono stati cambiamenti fondamentali nei rapporti fra Stato e Chiesa.
A proposito di questo nuovo Concordato molti laici pensarono subito che lo Stato aveva ottenuto meno di quanto avrebbe dovuto. Ma la protesta è esplosa per le nuove norme, riguardanti l'insegnamento della religione cattolica nelle scuole, che il Concordato non definiva bene e che sono state oggetto di accordi successivi. L'«ora di religione» è divenuta una «guerra di religione», si è trascinata fino all'inizio dell'anno scolastico 1987/88 ed ha provocato quasi una crisi di governo.
Le leggi si possono cambiare, ma non è altrettanto facile cambiare le abitudini acquisite né controllare il potere della Chiesa, anche se in nome dei principi di libertà e di uguaglianza stabiliti dalla Costituzione.

Il miracolo economico

Dai primi anni '50 alla metà dei '60 lo sviluppo economico italiano fu così forte da essere detto «miracolo economico».
Già nel 1952 era stato ricostruito quasi tutto quello che la guerra aveva distrutto. Per «ricostruire» si lavorò in modo disordinato, con spirito di iniziativa individuale più che collettiva, con un'arte di arrangiarsi che non sempre rispettava le leggi, ma si lavorò.
Ci furono poi vari fattori che permisero il rapido sviluppo economico che avrebbe portato l'Italia ad essere uno dei Paesi più industrializzati del mondo. Fra i motivi del «miracolo economico» sono da sottolineare la buona qualità e il basso prezzo delle merci italiane vendute all'estero, i bassi stipendi dei lavoratori, la crescita dell'economia mondiale, i prestiti e gli aiuti americani.
Venne istituita nel 1950 la Cassa per il Mezzogiorno per attuare opere straordinarie (strade, dighe, acquedotti, ecc.) che favorissero lo sviluppo economico e sociale dell'Italia del Sud. Nel 1953 fu creato l'E.N.I. (Ente Nazionale Idrocarburi) per la ricerca e lo sfruttamento del metano e del petrolio. L'E.N.I. divenne in poco tempo un grosso complesso industriale e cominciò a lavorare alle ricerche petrolifere in molti Paesi del mondo. Nel 1955 la produzione dell'acciaio ebbe il suo *boom*, dovuto soprattutto ad industrie del gruppo I.R.I. (Istituto per la ricerca industriale).
Nel 1961 l'Italia, che per tanti anni aveva avuto un'economia prevalentemente agricola, si inserì fra i primi otto Paesi più industrializzati del mondo. Tra il 1950 e il 1963 il «reddito pro

La domenica le lunghe file di automobili per le strade sono uno dei primi simboli del miracolo economico italiano.

capite» (cioè la ricchezza di cui poteva disporre in media ogni anno un cittadino) degli Italiani divenne doppio; cambiarono i livelli e i sistemi di vita.
Nelle case di molte famiglie entrarono i primi frigoriferi, le prime lavatrici, i primi televisori. Le trasmissioni regolari della televisione italiana cominciarono nel 1954. Le strade cominciarono a riempirsi di automobili, soprattutto FIAT 500 e 600, che non costavano troppo. Per rendere più facile la circolazione delle automobili e più rapidi gli spostamenti si cominciarono a costruire le autostrade che misero in contatto le regioni italiane, favorirono il commercio e il turismo. I prodotti più raffinati dell'industria italiana si diffusero in tutto il mondo, e furono soprattutto le automobili e la moda che contribuirono all'affermazione del *made in Italy*.
Il miracolo economico che trasformò l'Italia in un Paese industriale non cancellò tuttavia le profonde differenze che da sempre c'erano state fra Nord e Sud. I notevoli mezzi finanziari della Cassa per il Mezzogiorno non riuscirono a mettere in moto il meccanismo per un reale sviluppo del Sud e a diminuire il ritardo rispetto al Nord. Così negli anni del «miracolo» milioni di contadini delle regioni meridionali lasciarono i paesi di origine, dove le possibilità di lavoro erano scarse, per andare a fare gli operai nelle industrie del «triangolo industriale» (Genova-Torino-Milano).
A Torino, la capitale dell'automobile, negli anni '50 e '60, arrivarono circa 80.000 meridionali all'anno in cerca di lavoro. La città non era preparata a ricevere un numero così alto di immigrati e ben presto furono insufficienti le abitazioni, i trasporti pubblici, le scuole e gli ospedali. Per questo a Torino, come nelle altre città del Nord, i meridionali non ebbero una vita facile, stretti fra i problemi del lavoro, della casa e l'ostilità[1] della gente che non capiva o rifiutava di capire la loro diversa cultura.
A poco a poco gli Italiani del Sud e quelli del Nord hanno imparato a vivere insieme e i figli dei figli dei meridionali che arrivarono al Nord negli anni '50, si sentono ora settentrionali e non capiscono il dialetto dei nonni. Non per questo si può tuttavia dimenticare che ci sono stati anni difficili, di ostilità e di emarginazione[2].
Anche i «miracoli» hanno il loro prezzo.

1. ***Ostilità:*** sentimento, atteggiamento o comportamento caratterizzato da avversione, inimicizia, diffidenza.
2. ***Emarginazione:*** stato sociale che deriva dal mettere ai margini di un certo tessuto sociale persone o gruppi.

La scuola per tutti

Nel 1959, in pieno *boom* economico, il ministro della Pubblica istruzione Medici notava che all'aumento del reddito non aveva corrisposto un uguale aumento di frequenza scolastica né una diminuzione dell'analfabetismo[1]. Il 28% dei ragazzi che avrebbero dovuto frequentare la scuola media o una scuola di avviamento professionale[2], lasciavano gli studi dopo aver conseguito la licenza elementare. Occorreva perciò aumentare la quantità e la qualità dell'istruzione attraverso una nuova scuola media.
Nel dicembre 1962 il Parlamento approvò la legge che istituiva la scuola media dell'obbligo, uguale per tutti, come già lo era la scuola elementare. Anche se i suoi programmi furono frutto di molti scontri e compromessi fra laici e cattolici, e finirono per conservare molto di «vecchio», la nuova scuola media fu un fatto importante nella storia scolastica italiana.
Quanto di vecchio la scuola media dell'obbligo avesse conservato, si vide bene alcuni anni dopo e fu, fra gli altri, Lorenzo Milani (1923-1967), un sacerdote che con particolare vivacità ne mise in evidenza il totale fallimento, specialmente per quanto riguardava i fini democratici.
Lo scritto più famoso di don Milani, «Lettera a una professoressa», è frutto di un lavoro fatto insieme ai ragazzi della scuo-

1. Nel 1951 si era calcolato che gli analfabeti fossero il 13% della popolazione oltre i dieci anni, la cifra più alta di tutti i Paesi del Mercato Comune Europeo.

2. Prima del 1962 esisteva, dopo la scuola elementare, una scuola media (molto selettiva e che prevedeva lo studio del latino) da cui si poteva accedere a qualsiasi tipo di scuola superiore, e delle scuole di avviamento professionale che dopo tre anni rilasciavano un diploma di qualifica, ma non permettevano di andare avanti negli studi.

Popolazione residente in età da 6 anni in poi per grado di istruzione

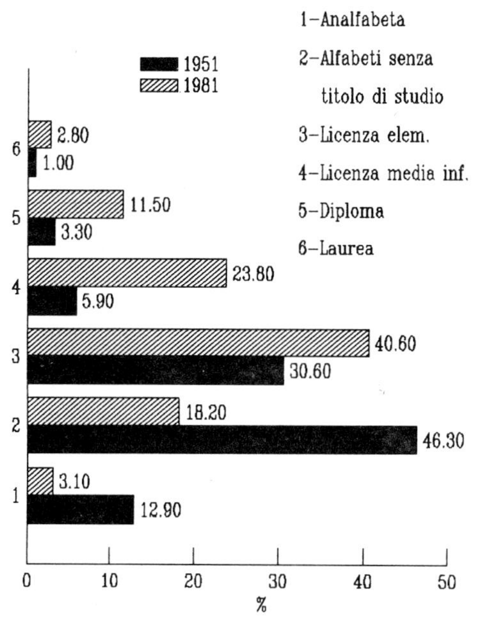

Fonte: Elaborazione Censis su dati Istat.

la serale da lui fondata per i giovani contadini di un paesino di montagna, Barbiana del Mugello (Firenze). Don Milani aveva fiducia nell'istruzione come mezzo fondamentale per l'evoluzione civile e morale della povera gente. Sosteneva che i figli dei poveri non sono più «cretini» dei figli dei ricchi.
Nella scuola di Barbiana si credeva che ciò che rende uguali è la lingua. In una società dove l'operaio possiede 300 parole e il padrone 1000, la scuola dovrebbe preoccuparsi, prima di tutto, di dare quelle 700 parole che mancano ai figli degli operai e dei contadini e non deve dire ai genitori: «Mandatelo nel campo. Non è adatto per studiare».
Per questo i ragazzi di Barbiana mettevano sotto accusa gli insegnanti che insegnavano cose lontane dalla realtà e soprattutto dal mondo operaio e contadino. Questi insegnanti respingevano chi non sapeva le cose che avevano insegnato, senza preoccuparsi di sapere chi erano e da dove venivano i ragazzi. Facevano della scuola media «un ospedale che cura i sani e respinge i malati».
Questa denuncia contro gli insegnanti non teneva però conto del fatto che la colpa non era tutta loro. Il sistema formativo, anche nella scuola dell'obbligo, chiedeva agli insegnanti di trattare tutti allo stesso modo e di selezionare gli alunni «bravi» dai «meno bravi», senza tener conto delle condizioni sociali.
Negli anni '70 le idee di don Milani ebbero grande diffusione, furono fatte proprie dalla contestazione scolastica e da molti giovani professori. Era ormai arrivato il *boom* scolastico. Quasi tutti i ragazzi frequentavano la scuola dell'obbligo; aumentava ogni anno il numero di quelli che si iscrivevano alle scuole superiori e di quelli che arrivavano al diploma e poi all'università. Neppure le idee di don Milani migliorarono, però, la scuola italiana. Dopo il '68 la scuola fu caratterizzata da grande permissivismo[3] nei confronti degli allievi, dal rifiuto della cultura tradizionale da parte di insegnanti che si illusero di cambiare la scuola; ma, poco preparati e lasciati soli a «cambiare», ottennero scarsi risultati.
All'aumento del numero degli alunni non ha corrisposto il reale cambiamento dell'insegnamento e negli anni '80, fra delusioni e crisi economiche, si sono spenti tutti i tentativi di cambiamento.
L'organizzazione della scuola italiana conserva più o meno la stessa struttura[4] della seconda metà dell'Ottocento. L'unica riforma che ha considerato il sistema scolastico nel suo insieme si è avuta nel periodo fascista (riforma Gentile, 1923). Per il resto si sono avute poche leggi che si sono occupate separatamente della scuola elementare o della scuola media, o dell'università.
In questo quadro così poco esaltante c'è però un punto luminoso: la legge 517 del 1977 che riconosce a tutti gli alunni portatori di handicap il diritto di frequentare la scuola dell'obbligo nelle classi comuni. È tale legge, relativamente all'educazione degli handicappati, una delle più avanzate d'Europa.

La scuola di Barbiana.

3. ***Permissivismo:*** teoria e pratica educativa che si basa sulla concessione di grande libertà ed autonomia. Si contrappone all'autoritarismo e qualche volta si identifica con la rinunzia a qualsiasi autorità da parte dell'insegnante o del genitore.

4. Il sistema scolastico italiano prevede a 6 anni l'inizio della scuola elementare che si compone di cinque classi, poi la scuola media di tre classi. La frequenza della scuola elementare e della scuola media è obbligatoria. Dalla scuola media, conseguita la licenza, si può passare alla scuola superiore che è di vario tipo. Ci sono scuole superiori a carattere professionale che durano tre anni e scuole tecniche e licei di cinque anni. Alla fine di una scuola superiore di cinque anni si consegue la «maturità» e ci si può iscrivere all'università. Le università italiane, che si suddividono in facoltà (di legge, di lettere, di medicina, ecc.), sono quasi tutte dello Stato e non hanno il numero chiuso. Tutti i cittadini italiani si possono iscrivere all'università, purché abbiano almeno diciotto anni e abbiano conseguito la maturità. Alla fine del corso di studi universitari si ha una «laurea» e il titolo di dottore.

Il sessantotto

Tra il 1967, il 1968 e parte del 1969 si sviluppò in Italia, come in altri Paesi, quel movimento di protesta giovanile, diffuso fra gli studenti, che prese il nome di contestazione.
Tutto era cominciato dalla protesta contro il potere dei professori nelle università, ma ben presto la protesta si era estesa al «sistema», cioè allo Stato che l'università rappresentava.
I sessantottini, come si chiameranno più tardi i giovani che parteciparono alle contestazioni di quegli anni, rifiutavano tutte le istituzioni borghesi, ritenute autoritarie ed ingiuste: la scuola, i partiti politici, la famiglia, la Chiesa. Ritenevano che potesse divenire reale la società che loro immaginavano: una società di liberi e di uguali, con una democrazia diretta, basata sul potere delle assemblee. «Via i padroni, via i burocrati, via i colonnelli, il potere è di chi sa inventare» era uno slogan di quel periodo.
Il movimento studentesco italiano portò avanti la sua lotta mirando soprattutto alla didattica e all'organizzazione dell'università, che veniva paragonata ad una fabbrica con i suoi padroni-professori. Scrivevano gli studenti in quei giorni: «Il sistema dei voti e degli esami è fondato sul principio di premiare il più brillante e il più svelto e di penalizzare il meno appari-

1968. Manifestazione di studenti a Villa Giulia, a Roma.

scente e il più lento. L'indice di produttività richiesto dalla scuola allo studente diventa sempre più il grado di accettazione delle norme scolastiche stesse, esattamente come nella fabbrica, dove è più "bravo" l'operaio che ha interiorizzato più degli altri l'interesse del padrone».

Sembrava insopportabile il modo con cui venivano fatti gli esami «più simili a veri e propri interrogatori che ad una libera discussione su argomenti che dovevano essere approfonditi insieme. In molte facoltà gli esami sono la principale causa del basso livello culturale degli studenti, specie quando non possono frequentare per mancanza di borse di studio o di aule. Si è giunti all'assurdo di 600 esaminati in tre giorni da un solo professore».

Le proposte alternative[1] erano i gruppi di studio, o seminari, diretti dagli studenti, in cui si studiava, si discuteva, si parlava di politica e di problemi personali. I professori venivano chiamati come esperti, anche perché alla fine si dovevano fare degli esami, sia pure di gruppo e con voto uguale per tutti. Si riteneva che il lavoro di gruppo fosse il modo migliore per «crescere» insieme, ma l'analisi, la ricerca e la documentazione sui contenuti ne rimanevano sacrificati.

In tutta Italia, ma specialmente a Roma, Milano, Torino, Venezia, Pisa, Firenze, si ebbero occupazioni delle facoltà universitarie, con interventi della polizia e scontri con gli studenti, cortei per le vie delle città, con tanta partecipazione, slogan e scritte che si rifacevano alle lotte di *Che Guevara* e di *Ho Chi Min*.

Di fronte a tutto ciò il mondo politico e parlamentare non seppe dare ai giovani nessuna risposta seria. Fu così favorita la contestazione stessa e l'affermazione dei *leaders* sessantottini.

Verso la fine del '68 il movimento studentesco cominciò ad indirizzare le sue proteste e le sue richieste al campo politico e sociale e cercò di collegarsi con la classe operaia e le femministe.

Ma nel '69 esso stava già perdendo la sua vivacità e la forza delle sue illusioni.

La calma sarebbe tornata presto.

1. ***Alternativo:*** che pone un'alternativa, cioè che presenta altri fatti o situazioni che permettono di scegliere.

1969. Operai in sciopero durante una delle tante manifestazioni di protesta.

L'«autunno caldo» e lo Statuto dei lavoratori

Uno dei periodi più interessanti della storia della Repubblica italiana è stato quello dell'«autunno caldo», nel 1969. Caldo perché combattuto. Le lotte furono quelle sindacali, dei lavoratori di tutti i settori per avere migliori contratti di lavoro.
L'«autunno caldo» durò 150 giorni con circa 400 milioni di ore di sciopero e momenti di grande tensione. Alla fine vennero rinnovati oltre 70 contratti nazionali di lavoro che riguardavano la grande maggioranza dei lavoratori e delle aziende del Paese.
Le tre confederazioni sindacali C.G.I.L., C.I.S.L., U.I.L., dopo un lungo periodo di polemiche e separazione, erano tornate a lottare insieme.
Si cercò di uscire da una situazione di privilegi e di forti differenze fra gli stipendi e i diritti delle varie categorie di lavoratori. Fu questa una scelta giusta nel '69. In seguito però l'aver continuato per la stessa strada ha prodotto una eccessiva mancanza di riconoscimenti per l'impegno, la competenza, la responsabilità dei lavoratori all'interno delle aziende, che si è rivelata ingiusta e negativa sul piano produttivo.
C'è chi sostiene che l'«autunno caldo» non nacque improvvisamente, ma che fu la conclusione di una ripresa della lotta operaia, già evidente nel '65. Ma ci fu soprattutto l'influenza

della contestazione studentesca. La lotta contro l'autoritarismo del «padrone» ebbe molto in comune con la lotta contro l'autoritarismo dei professori delle università.
Gli operai, dentro le fabbriche, si presero la loro parte di potere attraverso varie organizzazioni di base e commissioni sindacali.
Il sindacato ottenne il successo più straordinario della sua storia e molto potere, di cui in seguito non saprà fare un uso intelligente, come non saprà quasi mai indicare una via «diversa» rispetto alla politica economica dei governi.
Il governo, che era allora di centro-sinistra (Democratici cristiani, Repubblicani e Socialisti), favorì la soluzione delle lotte sindacali e si impegnò a creare lo Statuto dei lavoratori che fu in certo modo un riconoscimento politico e civile delle lotte operaie.
Lo Statuto dei lavoratori (legge 20 maggio 1970, n. 300) sottolinea soprattutto i principi della libertà e dignità del lavoratore.
L'articolo 1 afferma che i lavoratori, senza distinzione di opinioni politiche, sindacali e di fede religiosa, hanno diritto, nei luoghi di lavoro, a manifestare liberamente il proprio pensiero nel rispetto della Costituzione e dello stesso Statuto dei lavoratori.
Lo Statuto esclude controlli politici e di polizia sui lavoratori e vieta l'uso di impianti audiovisivi[1] di controllo.
L'articolo 8 vieta di indagare sulle opinioni politiche, religiose e sindacali e l'articolo 15 di fare differenze di ruolo o di stipendio sulla base delle opinioni stesse.
Lo Statuto prevede anche speciali turni di lavoro per facilitare il diritto allo studio. Riconosce la libertà di costituire associazioni sindacali, di aderirvi e di svolgere attività sindacale all'interno dei luoghi di lavoro. Sottolinea l'uguaglianza fra uomo e donna in materia di lavoro.
Naturalmente al momento dell'applicazione pratica della nuova legge non mancò chi ci vide dei difetti, ma certamente essa rappresentava il punto più alto di tutta la legislazione sociale e disegnava una figura nuova di cittadino-lavoratore.

1. ***Audiovisivo:*** si dicono mezzi audiovisivi quelli che permettono di sentire e vedere nello stesso tempo, come ad esempio il cinema e la televisione.

Vince il divorzio

Ci sono leggi nella storia dei popoli che sembrano caratterizzare un'epoca e indicare cambiamenti sociali importanti. Sono leggi che riguardano la vita di tutti i giorni, che intervengono direttamente nei rapporti civili di tutta la popolazione.
Nella storia d'Italia la legge sul divorzio è stata una delle più significative.
L'Italia è arrivata tardi al divorzio, nonostante che la prima proposta di legge per lo scioglimento del matrimonio sia stata presentata nel lontano 1878. C'era il peso della tradizione cattolica, ma anche la resistenza, nell'affrontare questo tema, dei comunisti i quali temevano di compromettere l'intesa con i cattolici. Così la battaglia per il divorzio fu per lo più portata avanti dalle minoranze, che alla fine riuscirono a vincere.
La legge era stata presentata dal deputato socialista Loris Fortuna e fortemente appoggiata dai partiti laici minori, soprattutto dai radicali che prenderanno parte poi a tutte le altre battaglie civili. In un secondo tempo anche i comunisti dettero il loro appoggio alla proposta di Fortuna. Il 1 dicembre 1970 l'Italia aveva il divorzio.
La legge fu approvata, ma coloro che erano contrari al divorzio non si rassegnarono e proposero un referendum per annullare la legge stessa. Il 12 maggio 1974 gli Italiani furono chiamati a rispondere sì o no alla seguente domanda: «Approvate

1974. Manifestazione in favore della legge sul divorzio.

la richiesta di abrogazione[1] della legge 1 dicembre 1970, n. 898, relativa alla disciplina dei casi di scioglimento del matrimonio?».

I «sì» (con il sì si approvava l'annullamento della legge e si era quindi contro il divorzio) furono il 40,9%, i «no» il 59,1%. In varie regioni del Nord la percentuale dei «no» aveva addirittura superato il 79%, la città più «divorzista» era stata Livorno, ma anche in alcune regioni del Sud i «no» erano stati superiori ai «sì».

Il referendum approvò così in modo definitivo il divorzio e dette anche la prova di cambiamenti significativi, avvenuti di fatto nella società italiana.

Era chiaro infatti che in quel 59,1% c'erano anche i «no» di una parte di cattolici legati alla DC e soprattutto quelli di molte donne. Alla vigilia del referendum erano stati in tanti ad affermare che le donne italiane, legate al loro ruolo di «angelo della famiglia», avrebbero senza dubbio difeso il matrimonio. I risultati dimostrarono invece che «l'angelo della famiglia» era in crisi e che la donna era pronta ad affrontare incertezze e battaglie per i suoi diritti.

Non a caso negli anni '70 il movimento femminista italiano era uno dei più vivaci d'Europa e le donne lottavano in prima persona per avere nuove leggi.

Nel 1975 la legge sul nuovo diritto di famiglia riconoscerà gli stessi diritti e gli stessi doveri al marito e alla moglie così come l'uguaglianza fra tutti i figli, sia nati nel matrimonio che fuori di esso. Introdurrà inoltre la «comunione dei beni» (art. 177) per cui tutti i beni che i coniugi acquistano, anche separatamente, dopo il matrimonio appartengono in uguale misura ad entrambi, così come i guadagni delle loro attività separate.

Ci sarà poi la grande battaglia per l'aborto. Nel 1978 la legge 194 introduce in Italia «l'interruzione volontaria di gravidanza», anche per far cessare gli aborti clandestini che ogni anno mettevano in pericolo la vita di tante donne. Anche questa volta, come già per il divorzio, la legge deve passare la prova del referendum. A promuoverlo è il gruppo del «Movimento per la vita» con a capo lo stesso Papa. La propaganda degli antiabortisti è molto vivace e le sinistre non nascondono i loro timori.

Il referendum proposto dal «Movimento per la vita» si terrà il 17 maggio 1981 e vedrà la legge 194 vincitrice con il 67,9% dei voti. Un vero successo.

Sarà la prova certa del progresso civile del Paese, che riguarda Nord e Sud, e riesce a vincere la destra clericale[2] e i suoi forti appoggi.

1. ***Abrogazione:*** annullamento di una norma giuridica.
2. ***Clericale:*** si dice di quanto è imposto, sostenuto o promosso dal clero.

Il terrorismo

Mentre si svolgevano le lotte operaie, avvenne in Italia un fatto gravissimo: il 12 dicembre 1969 fu fatta esplodere una bomba alla Banca Nazionale dell'Agricoltura di Piazza Fontana, a Milano, che provocò 16 morti e centinaia di feriti. Era la prima di una serie di stragi provocate dal terrorismo nero.
Da allora il terrorismo nero, e poi anche rosso, sarebbe cresciuto sempre più e avrebbe avuto l'obiettivo di colpire le istituzioni dello Stato.
Spiegare questo fenomeno non è stato e non è facile. Molte domande e molti dubbi rimangono ancora senza risposta soprattutto perché il terrorismo italiano, rivolto contro uno Stato democratico, non trova un termine di paragone in quello di altri Paesi dove è rivolto contro le strutture autoritarie del potere.
Il terrorismo nero con i suoi vari gruppi (Ordine nuovo, Ordine nero, Squadre azione mussolini, ecc.), con i suoi legami con alcuni uomini dei servizi segreti e con i gruppi di estrema destra di altri paesi, ha operato sempre con un progetto molto chiaro. Il fine è quello di portare il Paese ad un livello di caos totale per dimostrare l'incapacità di governare della democrazia, e favorire un cambiamento di regime in senso autoritario. Per realizzare il progetto i «neri» hanno operato in due direzioni: da un lato sequestri e omicidi di magistrati, giornalisti e uomini politici, dall'altro le stragi, programmate in modo da uccidere a caso il numero più alto di persone.
In 15 anni cinque stragi non previste né prevedibili: Piazza Fontana a Milano (dicembre 1969, 17 morti), Piazza della Loggia, a Brescia (maggio 1974, 8 morti), treno Italicus (agosto 1974, 12 morti), stazione di Bologna (agosto 1980, 85 morti), treno Napoli-Milano (dicembre 1984, 16 morti). E per nessuna sono stati trovati gli autori né chi sta loro dietro.
Anche fra i «neri», come fra i «rossi» alcuni «pentiti» hanno parlato, ma sono stati pochi e le notizie che hanno fornito non hanno permesso di arrivare fino ai livelli centrali dell'organizzazione.
Nello stesso anno in cui il terrorismo nero attaccava lo Stato con la sua prima strage, nasceva un altro tipo di terrorismo che è stato detto rosso, poiché è nato fra le file delle sinistre. C'è chi ha visto in questo fenomeno una risposta «disordinata» e spontanea da parte di gruppi di giovani, lasciati ai margini della società italiana industrializzata. Ma appare più convincente la spiegazione di chi pensa che la lotta armata di sinistra sia una scelta politica precisa: rompere le regole della democrazia politica come primo passo di un processo rivoluzionario che, secondo le speranze dei *leaders* della lotta armata, avrebbe poi dovuto coinvolgere le masse popolari. E poi il dubbio, mai chiarito, che ci siano altri interessi e altri capi, italiani o internazionali, che di fatto dirigano il terrore rosso.
In circa dieci anni il terrorismo rosso ha «firmato» duemila attentati a cose o persone. Sono state assassinate 104 persone e

ferite 145, con un'impressionante *escalation* di violenza, passata dall'unico attentato del 1969 ai 659 del 1979.
Molte le organizzazioni clandestine fra cui la più importante è stata senza dubbio quella delle Brigate rosse.
Nate come organizzazione politica intorno al 1969 da un gruppo di giovani sociologi cattolico-marxisti dell'università di Trento, le B.R. hanno fatto un lungo cammino.
Da un primo tentativo di inserirsi nella realtà della fabbrica negando la violenza, sono arrivate all'attacco diretto contro lo Stato con l'assassinio dell'onorevole Aldo Moro e molti altri omicidi.
Particolarmente duri e pesanti furono gli anni fra il 1978 e il 1980 con funerali, fiori e lacrime che sembrava non dovessero finire mai e le B.R. al centro dell'attenzione.
Nonostante la grande attenzione le B.R. e gli altri gruppi armati (un altro famoso era Prima linea) trovavano però pochissimi seguaci. Da tutti, anche dai giovani disoccupati ed emarginati, i terroristi erano visti solo come assurdi portatori di morte, e pertanto respinti. Isolati continuavano tuttavia a fare morti, anche perché, come notò *Antony Burgess* nei giorni del sequestro di Moro, «è facile imparare ad uccidere».

Un gruppo di brigatisti rossi durante uno dei primi processi.

La prova per lo Stato fu drammatica e difficile. Poi, un poco per volta, le forze dell'ordine furono meglio addestrate e impararono ad organizzarsi meglio, riuscendo anche ad avere risultati positivi.
Infine fu approvata il 29 maggio '82 una legge che prevedeva forti riduzioni di pena per i terroristi pentiti che collaborassero con la giustizia. I «pentiti» furono numerosi e permisero di arrestare molti *leaders* provocando una grave crisi nelle B.R. e la totale sconfitta di Prima linea.
Per effetto della legge del 1982 molti «pentiti» furono condannati a pene veramente minime, pur avendo commesso tremendi delitti. Ciò non piacque a tutti e ci furono anche aspre polemiche. Ma tra il 1982 e il 1983 l'Italia poteva sentirsi più tranquilla.

La solidarietà nazionale e la tragica vicenda Moro

Negli anni '70 l'Italia si trovava di fronte a gravi problemi, soprattutto il terrorismo e la crisi economica, conseguente a quella mondiale del '73. Per cercare di risolverli c'era bisogno di governi stabili e larghe alleanze fra le forze politiche. Enrico Berlinguer, dal 1972 segretario generale del Partito comunista, proponeva un accordo «tra le grandi forze politiche che rappresentano la grande maggioranza del popolo italiano». Si trattava in sostanza di un'intesa fra PCI e DC che verrà detta «compromesso storico».
La DC era in crisi, in crisi l'esperienza dei governi di centro-sinistra, in crisi il Partito socialista. Così molti accolsero con interesse la proposta di Berlinguer, anche se fin dell'inizio ci fu chi si preoccupò delle conseguenze negative di una politica dove due grandi forze come il PCI e la DC erano alleate fra loro.
Le elezioni anticipate del 1976 videro il PCI passare dal 27,2% dei voti al 34,4% e la DC mantenere il suo 37,7%. Pertanto con la DC che rimaneva il Partito di maggioranza relativa, il PCI rafforzato e i Partiti minori più deboli, appariva chiaro che il nuovo governo si sarebbe fatto con il consenso dei comunisti. Essi non votarono la fiducia, ma si astennero insieme ai socialisti e agli altri Partiti laici. Il governo di Andreotti otteneva la fiducia il 29 luglio 1976, con i soli voti della DC.
Era l'inizio della «solidarietà nazionale», con governi sostenuti da tutte le forze politiche che avrebbero dovuto collaborare per risolvere i gravi problemi del Paese. All'interno della DC furono soprattutto Giulio Andreotti e Aldo Moro che sostennero questa nuova via politica.
Ma intanto anche le Brigate rosse stavano preparando i loro piani e colsero l'occasione per cercare di affermare la superiorità della lotta armata sul confronto democratico.
Alle 8,55 del 16 marzo 1978 in via Fani a Roma, Aldo Moro, il *leader* della DC, venne catturato e furono uccisi i cinque uomini della sua scorta. Moro stava andando in Parlamento, dove quella mattina avrebbe chiesto il voto di fiducia per il nuovo governo che aveva ancora Andreotti come presidente. Per la prima volta, dopo trenta anni, anche i comunisti avrebbero votato positivamente.
La stessa sera del 16 marzo il governo di «solidarietà nazionale» ottenne la fiducia, ma il clima era quello di un pesante incubo. A nessuno sfuggiva che il terrorismo aveva lanciato una sfida terribile allo Stato. La gente scese in piazza a manifestare il proprio dolore e la propria rabbia.
Cominciarono poi i messaggi delle B.R., con le fotografie e le lettere di Moro. Dal sequestro all'uccisione dello statista ci furono 55 giorni, trascorsi in un clima molto drammatico. Le misure di sicurezza e di ricerca messe in moto dal governo non dettero risultati positivi.
Moro dalla sua prigione difendeva il diritto alla vita e dava indicazioni sul modo di «trattare» con i brigatisti; proponeva

Via Fani, dopo il rapimento di Aldo Moro e l'uccisione dei suoi uomini.

uno scambio con alcuni terroristi che si trovavano nelle carceri italiane. Ma in Parlamento prevalse la «fermezza». Si pensava che lo Stato non poteva in alcun modo trattare con i terroristi, senza mettere in pericolo la sua autorità. Solo i socialisti, con a capo Bettino Craxi, assunsero una posizione meno rigida.
Quando il cadavere del *leader* DC fu ritrovato in un'automobile in sosta nel centro di Roma, l'impressione fu enorme in tutto il Paese e ci furono per lo Stato giorni difficilissimi da cui sembrava di non poter venire fuori.
Anche la «solidarietà nazionale» durò poco.
Le B.R., mentre moltiplicavano la loro feroce lotta, accusavano i comunisti di essere complici della DC e del grande capitalismo. Di fatto si avvertiva la mancanza di una vera opposizione in un'Italia in cui a dire «no» c'erano stati per decenni soprattutto i comunisti.
La collaborazione entrò in crisi quando il PCI, che non voleva essere per sempre «la ruota di scorta», cominciò a chiedere la partecipazione diretta al governo.
Il 26 gennaio 1979 i comunisti uscivano dalla maggioranza e c'era una nuova crisi di governo.

La criminalità organizzata: mafia e camorra dei grandi *business*

Ne «Il giorno della civetta», famosissimo romanzo di Leonardo Sciascia[1], il capitano Bellodi, ufficiale dei carabinieri dopo aver tentato invano di fare luce su uno dei tanti delitti mafiosi, torna a Parma, sua città di origine. Qui parla della Sicilia con l'amico Brescinelli. «Bellodi disse che la Sicilia era incredibile. Eh sì, dici bene: incredibile... Ho conosciuto anch'io dei Siciliani: straordinari... E ora hanno la loro autonomia[2], il loro governo... Il governo.... Il governo della lupara[3], dico io... Incredibile è la parola che ci vuole.
Incredibile è anche l'Italia: e bisogna andare in Sicilia per constatare quanto è incredibile l'Italia.
Forse tutta l'Italia va diventando Sicilia... A me è venuta una fantasia, leggendo sui giornali gli scandali di quel governo regionale: gli scienziati dicono che la linea della palma, cioè il clima che è propizio alla vegetazione della palma, viene su, verso il nord, di cinquecento metri, mi pare, ogni anno... La linea della palma... Io invece dico: la linea del caffè ristretto, del caffè concentrato[4]... E sale l'ago di mercurio di un termometro, questa linea della palma, del caffè forte, degli scandali: su su per l'Italia, ed è già oltre Roma».
Era il 1961 quando Sciascia esprimeva questi pensieri per bocca del capitano Bellodi e del suo amico. Oggi la mafia siciliana, conquistate complicità sempre più importanti, inserita nel mondo degli affari all'ombra di grandi banchieri, è già salita fino alle Alpi e oltre.
La mafia in Sicilia, la camorra in Campania, la 'ndrangheta in Calabria hanno origini e storie parallele, anche se le ultime due non hanno conosciuto la «fortuna» della prima.

1. ***Leonardo Sciascia:*** nato a Racalmuto, in provincia di Agrigento nel 1921 e vivente. La Sicilia è al centro di tutta la sua opera. Tra i suoi lavori, oltre a «Il giorno della civetta» ricordiamo: «A ciascuno il suo», «Il consiglio d'Egitto», «Nero su nero», «Todo modo».
2. Ricordiamo che la Sicilia è una delle cinque regioni che gode di uno «statuto speciale», ha cioè forme e condizioni particolari di autonomia dall'amministrazione statale.
3. ***Lupara:*** particolare fucile, a canne corte, usato per la caccia di lupi e cinghiali e, tradizionalmente, nei delitti della mafia siciliana.
4. In Italia si beve generalmente caffè concentrato, ma il grado di concentrazione aumenta via via che ci si sposta dal Nord al Sud. Al Sud fare un buon caffè, molto forte, è quasi un'arte e il caffè è ritenuto un sicuro rimedio per molti malanni fisici e psichici.

Palermo, la polizia blocca le auto per un controllo.

Nascono nel 1800 come società segrete con scopi di solidarietà, ma ben presto si dedicano ad attività violente e non legali e questa rimane nel tempo la loro caratteristica costante.
Lo spirito mafioso ha le sue radici nella mancanza di fiducia nello Stato da parte delle popolazioni meridionali. Per questo la prima regola del codice mafioso è difendere da soli la propria persona e i propri interessi, senza mai rivolgersi alla giustizia ufficiale e tacere, tacere sempre. I torti subiti si vendicano o si fanno vendicare dagli «amici»; vale la legge del coraggio, dell'abilità e del più forte.
Per molti anni la mafia ha lavorato nell'agricoltura ed ha ricattato i proprietari degli agrumeti[5] delle campagne intorno a Palermo. Si è spostata più tardi verso settori più redditizi, come i trasporti, l'edilizia e la pubblica amministrazione dove ha trovato alleanze in uomini politici corrotti. Con l'emigrazione si è poi diffusa negli Stati Uniti e si è legata ad altri gruppi di malavita internazionale.
Nel dopoguerra le associazioni mafiose, approfittando del grande giro di denaro messo in moto dalla ricostruzione e dal *boom* economico, hanno sempre più ingrandito le loro attività e i loro guadagni.
E dagli anni '70 «l'onorata società» cambia volto. La visione del «padrino», rispettato ed amato, che ci viene da tanti film e romanzi famosi, appartiene in parte al passato, poiché il potere vero non sta più nelle mani dei grandi boss. Oggi la mafia ha preso le caratteristiche di una vera e propria impresa. Ha grossi capitali, è presente nei sequestri di persona, nel giro internazionale del commercio non lecito, nell'alta finanza, nel traffico della droga; da tutte queste attività non legali ricava fortissimi guadagni. E non uccide più solo i membri delle famiglie rivali o i *killers* scomodi, ma arriva ai vertici del potere statale; elimina ufficiali dei carabinieri, alti magistrati e uomini politici; tra gli uccisi ricordiamo il presidente della Regione Sicilia Piersanti Mattarella, il prefetto di Palermo, generale Carlo Alberto Dalla Chiesa e il deputato comunista Pio La Torre.
In questi ultimi anni lo Stato ha messo un impegno eccezionale nella lotta contro la mafia e contro la 'ndrangheta e la camorra, divenuta molto forte alla fine degli anni '70 con la banda di Raffaele Cutolo.
Gli esperti dissero che la legge anti-mafia del settembre '82 (che porta il nome di Virginio Rognoni e Pio La Torre) avrebbe dato buoni risultati. In effetti nel 1984 «l'onorata società» ha ricevuto un duro colpo, grazie anche alle rivelazioni del boss pentito Tommaso Buscetta. Ma intanto il potere mafioso ha trovato, con i tanti miliardi di cui dispone, altri complici e protettori che gli permettono di sfuggire anche ai controlli della nuova legge.
A soli cinque anni di distanza certi strumenti previsti dalla legge del 1982 non sembrano più adatti a colpire l'organizzazione mafiosa che si trasforma e si adatta ai tempi con straordinaria rapidità.
Come può vincere la lenta macchina dello Stato?

5. ***Agrumeto:*** terreno coltivato ad agrumi o anche insieme di piante di agrumi (limoni, aranci, ecc.).

L'Italia della «crescita zero»

Nel 1926 l'Istat, Istituto nazionale di statistica, ha iniziato la sua attività facendo sapere agli Italiani che c'erano tre automobili ogni mille abitanti, che la statura media dei giovani di venti anni era di 1 metro e 67 centimetri, che i malati di malaria[1] erano 220.000. Da allora l'Istat ha fornito ogni anno, attraverso dati e numeri, fotografie dell'Italia e degli Italiani sotto tutti gli aspetti.
Con queste foto ha fatto poi confronti e rapporti,
Oggi l'Italia appare completamente trasformata non solo rispetto al 1926, ma anche rispetto agli anni '50. L'immagine tradizionale, diffusa per tanto tempo all'estero, di un'Italia piena di bambini non è più reale. Proprio nel 1986 la popolazione italiana ha raggiunto la «crescita zero»: il numero delle morti è uguale o di poco superiore a quello delle nascite. Ed è una regione italiana, la Liguria, che ha la percentuale di nascite più bassa del mondo, rispetto al numero delle coppie in età di avere bambini.
E come si presenta oggi questa Italia della «crescita zero»? Ecco la sua fotografia.

1. ***Malaria:*** malattia infettiva causata da un protozoo trasmesso all'uomo dalla zanzara anofele. Nell'Ottocento e primi del Novecento la malaria era molto diffusa in Italia poiché c'erano molti terreni paludosi non bonificati.

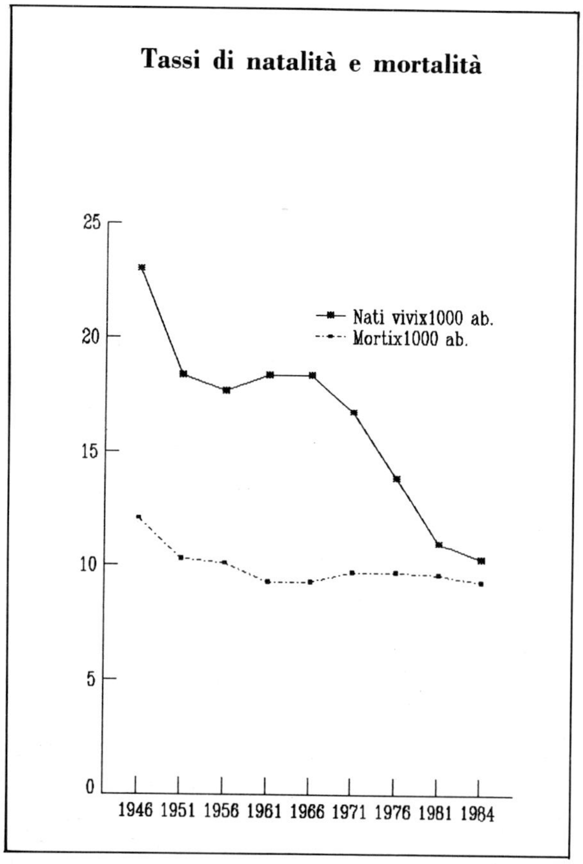

Fonte: Elaborazione Censis su dati Istat.

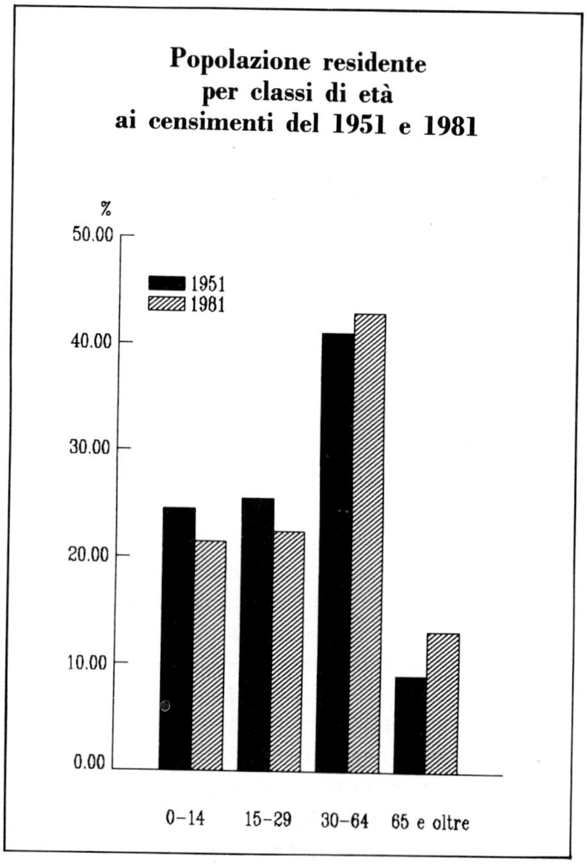

Fonte: Elaborazione Censis su dati Istat.

Economicamente l'Italia è un Paese in trasformazione dove si sta fortemente affermando il settore terziario[2] che è giunto a impiegare il 50% del totale delle forze lavoro. Buono è lo sviluppo industriale specie delle aziende più moderne fra cui la FIAT e l'Olivetti. Meno buono lo sviluppo del settore agricolo, carente, soprattutto al Sud, di mezzi tecnici.
Dagli anni '70 in poi sono cresciute di numero e si sono sviluppate le piccole e medie imprese al di fuori del tradizionale triangolo industriale (Milano-Torino-Genova) con una certa continuità tra la moderna economia locale e la tradizionale produzione artigiana. Questo tipo di sviluppo ha riaffermato la tendenza italiana all'individualità e al lavoro autonomo, ed ha consentito l'affermazione del *made in Italy* nelle vetrine dei più eleganti centri commerciali del mondo.
Il numero dei disoccupati, negli ultimi dieci anni, è notevolmente aumentato fino ad arrivare, nel 1984, al 10,4% della popolazione attiva, ma è aumentato anche il numero di coloro che hanno più di un'occupazione (20% della popolazione attiva).
Lo sviluppo produttivo del Paese e l'espansione del reddito hanno avuto importanti conseguenze sul piano sociale modificando gli stili di vita e i consumi privati degli Italiani.
C'è stato uno sviluppo culturale complessivo della società, raggiunto attraverso un notevole aumento della frequenza scolastica. Gli analfabeti si sono ridotti al 3% della popolazione da sei anni in poi mentre l'11,5% della stessa popolazione ha un diploma di scuola media e il 2,8% una laurea.
Sono di conseguenza cresciuti i consumi culturali: più libri, più lettori di giornali, più spettacoli teatrali, più vacanze e viaggi. Meno cinema, invece, sostituito dalla potente e tanto discussa TV che, pur con i numerosi aspetti negativi, ha rappresentato un fondamentale strumento di «apertura» culturale e di unificazione linguistica.
La televisione ha diffuso la lingua italiana anche in molti piccoli centri, specie del Sud, dove c'era da sempre un uso esclusivo del dialetto.
In generale fra i consumi privati, come in tutti i Paesi industrializzati, diminuiscono le spese per i prodotti alimentari a favore di quelle per la salute e l'istruzione. Nelle spese familiari tuttavia il «mangiare» e il «vestire» occupano ancora percentuali più alte rispetto ad altri Paesi ricchi. Forse in Italia certi stili di vita tradizionali non sono stati del tutto cancellati dallo sviluppo economico. Non a caso proprio nei settori del cibo e della moda si hanno prodotti italiani assai raffinati, esportati in tutto il mondo.
La casa è considerata un bene di servizio e il 60% degli Italiani è proprietario della sua abitazione. Complessivamente il bisogno di case è aumentato poiché è aumentato il numero delle famiglie composte da una sola persona. Sono soprattutto anziani rimasti soli, ma anche giovani che scelgono di non sposarsi.
Il possesso dell'automobile invece è spesso considerato il simbolo visibile della ricchezza. Oggi ci sono 4 auto ogni 10 abi-

2. ***Terziario***: si indica con il nome di settore economico terziario l'insieme dei diversi servizi. Viene detto primario il settore agricolo e secondario quello industriale.

Proposte di Valentino per la moda 1988.

Un'immagine della Duetto con la capote alzata.

tanti (compresi bambini e anziani) e molte persone posseggono 2 automobili, di cui una bella e ben tenuta. Non per nulla si dice che gli Italiani amino la propria auto più della propria moglie, o del proprio marito!

Naturalmente lo sviluppo economico non si è tradotto solo in un aumento dei consumi.

È cambiata anche la qualità della vita.

Oggi muoiono pochissimi bambini, la durata media della vita è per gli uomini di 71 anni e per le donne di 77 e pare che sia la più alta di tutti i Paesi occidentali. Non si muore più di malaria e quasi più per malattie infettive, ma soprattutto per cancro e malattie del sistema cardiocircolatorio[3].

Molti aspetti delle condizioni di vita sono legati ovviamente allo sviluppo economico complessivo, ma va considerata anche la maggiore offerta pubblica di servizi socio-sanitari. Lo Stato ha allargato i diritti dei cittadini, da quelli civili e politici a quelli sociali: tutti i cittadini, ad esempio, oggi godono dell'assistenza sanitaria.

Così oggi «un Italiano», rispetto all'immediato dopoguerra, è più garantito per la salute come è più ricco, più istruito, consuma di più, fa meno figli, va in automobile, va in vacanza, non va a lavorare all'estero, vede la televisione, vive più a lungo...

3. ***Cardiocircolatorio:*** che riguarda la circolazione del sangue nel cuore e nei vasi sanguigni.

CRONOLOGIA
DEI PRINCIPALI AVVENIMENTI

800-500 a.C. Gli Etruschi fondano le loro prime città nella regione dell'Italia centrale che oggi si chiama Toscana.

753 a.C. Secondo la leggenda Romolo, figlio del dio Marte, fonda la città di Roma.

509 a.C. Dopo duecento anni di Monarchia, i Romani si danno un governo repubblicano che durerà cinque secoli.

494 a.C. Dopo molte lotte contro i patrizi (cittadini ricchi e nobili), i plebei (popolo) ottengono di avere magistrati propri, chiamati tribuni della plebe.

149 a.C. Cartagine viene distrutta dall'esercito romano. Con una lunga serie di vittorie militari, i Romani ormai dominano quasi tutte le terre bagnate dal Mediterraneo.

82 a.C. In un clima di guerra civile, la Repubblica Romana cade nelle mani dei «signori della guerra», abili capi militari e politici che talvolta si combattono e altre volte si alleano e si spartiscono il potere.
La vittoria definitiva sarà di Giulio Cesare.

44 a.C. Giulio Cesare viene ucciso.

29 a.C.-13 d.C. Governo di Augusto. Roma ha, di fatto, un regime monarchico. Nasce Gesù Cristo.

64 d.C. L'Imperatore Nerone inizia le persecuzioni contro i cristiani.

313 L'Imperatore Costantino concede libertà di culto ai cristiani.

394 L'Imperatore Teodosio muore e lascia l'Impero diviso fra i suoi due figli. Impero Romano d'Occidente e Impero Romano d'Oriente rimarranno divisi per sempre.

410 Il popolo barbaro dei Visigoti, guidato da Alarico, scende in Italia.

455 Arriva in Italia il popolo barbaro dei Vandali. Roma viene saccheggiata.

476 Odoacre, capo dei barbari Eruli, depone il giovanissimo Imperatore Romolo Augustolo.
Ha così fine l'Impero Romano d'Occidente.

493 Teodorico, Re degli Ostrogoti, vince Odoacre e regna in Italia per trenta anni. Ravenna è la capitale del suo Regno.

507 I Franchi, guidati da Clodoveo, si impadroniscono di tutta la Gallia.

527 Giustiniano diviene Imperatore d'Oriente.
Vuole ridare unità all'Impero Romano e combatte gli Ostrogoti in Italia, vincendoli.

529 San Benedetto fonda il Monastero di Montecassino.

568 Arrivano i Longobardi e occupano gran parte dell'Italia settentrionale. Vi sono così territori italiani dominati dai Longobardi e altri dell'Impero d'Oriente. Nasce la divisione politica dell'Italia che avrà fine solo nel sec. XIX.

590-604 È Papa Gregorio Magno.

754 I Longobardi cercano di impadronirsi dei territori bizantini in Italia e della stessa Roma. Il Papa chiede aiuto al capo dei Franchi, Pipino il Breve.

756 Pipino dona al Papa i territori vinti ai Longobardi. Nasce così lo Stato pontificio che durerà fino al 1870.

800 Carlo Magno, successore di Pipino il Breve, viene incoronato Imperatore dei Romani da Papa Leone III.

887 Finisce l'Impero di Carlo Magno. Si è intanto rafforzato il sistema feudale.

951 Ottone I di Sassonia diviene Re d'Italia.

962 Ottone I di Sassonia viene incoronato Imperatore del «Sacro Romano Impero Germanico».

1037 I Normanni costituiscono piccoli Stati feudali nell'Italia meridionale.

1091 I Normanni, guidati da Ruggero di Altavilla, cacciano gli Arabi dalla Sicilia.

1130 Ruggero II di Altavilla diviene Signore di tutta l'Italia meridionale con il titolo di Re di Puglia e di Sicilia. La Repubblica marinara di Amalfi perde la sua indipendenza.

1152 Diviene Imperatore Federico I di Svevia, detto il Barbarossa.

1154 Comincia la lotta fra i Comuni e il Barbarossa. L'Imperatore pretende che le città, che erano divenute attorno al Mille liberi Comuni, restituiscano a lui le funzioni e i poteri che si erano attribuiti.

1162 Barbarossa vince i Comuni e distrugge Milano.

1176 I Comuni, uniti in una «Lega» riescono a sconfiggere il Barbarossa, il quale deve riconoscere alle libere città tutti quei diritti che, di fatto, già possedevano.

1182-1226 Vita di San Francesco di Assisi.

1190 Sale sul trono di Sicilia Enrico VI di Svevia, figlio dell'Imperatore Barbarossa e marito di Costanza di Altavilla, ultima erede dei Sovrani normanni.

1216-1250 È Imperatore e Re di Sicilia il grande Federico II, nipote del Barbarossa. Vuole unificare l'Italia e per questo è contro il Papa e contro i Comuni.

1265-1321 Vita di Dante Alighieri.

1266 Viene in Italia, chiamato dal Papa, Carlo d'Angiò, fratello del Re di Francia, e toglie al figlio di Federico II il Regno di Sicilia. Finisce il sogno di unità nazionale dell'Italia e si ha il pieno sviluppo della civiltà comunale.

1284 La Repubblica marinara di Pisa viene sconfitta da quella di Genova nella battaglia della Meloria. La città toscana perde rapidamente la sua importanza.

1293 Nel Comune di Firenze, con i famosi Ordinamenti di giustizia, i ricchi borghesi tentano di eliminare del tutto dal governo i nobili.

1311 A Milano si costituisce la Signoria dei Visconti.
Verso gli inizi del Trecento l'ascesa al potere di un Signore è un fatto comune a molte città italiane.

1381 Alla fine della guerra di Chioggia, Genova viene sconfitta da Venezia. Finiscono le fortune di Genova.

1434 Si afferma a Firenze il potere incontrastato di Cosimo dei Medici.

1452-1519 Vita di Leonardo da Vinci.

1454 Pace di Lodi. Si concludono le lunghe guerre che gli Stati più forti della penisola avevano fatto contro i più deboli e fra loro stessi per sete di dominio.

1474-1564 Vita di Michelangelo Buonarroti.

1492 Muore Lorenzo il Magnifico, Signore di Firenze. Finisce un periodo di pace e di equilibrio fra gli Stati italiani che Lorenzo, con la sua grande abilità politica, aveva contribuito a mantenere.
Il genovese Cristoforo Colombo raggiunge un'isola delle *Bahamas* e non sa di essere arrivato in un continente di cui tutti ignoravano l'esistenza.

1494 Carlo VIII Re di Francia scende in Italia.

1498 Girolamo Savonarola viene condannato per eresia, verrà impiccato e poi bruciato a Firenze.

1513-1521 È Papa Leone X, figlio di Lorenzo dei Medici.

1527 I soldati di Carlo V saccheggiano Roma.

1545-1563 Concilio di Trento. La Chiesa cattolica, impegnata nella Controriforma, si dedica alla revisione della sua dottrina.

1559 La pace di *Cateau-Cambrésis* mette fine alle lunghe guerre fra Francia e Spagna. Per l'Italia è l'inizio del dominio spagnolo che durerà fino al 1713.

1564-1642 Vita di Galileo Galilei.

1647 Rivolta popolare, scoppiata a Napoli contro il governo spagnolo.

1713 Con la pace di *Utrecht* in Italia finisce la dominazione spagnola e inizia quella austriaca.

1796 Napoleone ha il comando dell'armata d'Italia.
Vince gli Austriaci e forma la Repubblica Cisalpina.

1805 Napoleone si incorona Re d'Italia.

1814-1815 Congresso di Vienna. L'Italia viene divisa più e peggio di prima. Torna ad essere dominata dall'Austria.

1820-1821 Si hanno in Italia le prime rivolte organizzate dalla Carboneria, per liberare lo Stato dal dominio straniero.

1831 Giuseppe Mazzini fonda la «Giovane Italia».

1848 L'anno delle «meraviglie». Venezia si ribella; Milano scaccia gli Austriaci; Carlo Alberto Re del Piemonte dichiara guerra all'Austria (I guerra di indipendenza).

1849 Rientra tutto nel vecchio ordine. Carlo Alberto viene sconfitto dall'Austria. Cade la resistenza delle città che si erano ribellate.

1852 Camillo Benso conte di *Cavour* diviene primo ministro dello Stato del Piemonte dove era divenuto Re Vittorio Emanuele II.

1858 Convegno di *Plombières*. Cavour riesce a fare un'alleanza con Napoleone III, Imperatore dei Francesi.

1859 L'Austria dichiara guerra al Piemonte (II guerra di indipendenza). Al termine della guerra il Piemonte ottiene dall'Austria la Lombardia.

1860 Attraverso una votazione popolare (plebiscito) Toscana ed Emilia vengono unite al Piemonte.

Garibaldi parte per la spedizione dei Mille, toglie ai Borboni Napoli e la Sicilia e li cede a Vittorio Emanuele II.

1861 Viene proclamato il Regno d'Italia, Vittorio Emanuele II ne è il Re.

1865 La capitale del Regno d'Italia viene spostata da Torino a Firenze.

1866 L'Italia, alleata con la Prussia, dopo una breve guerra, ottiene dall'Austria il Veneto.

1870 Le truppe italiane entrano a Roma che diviene la capitale del Regno. Il Papa non accetta nessun accordo con lo Stato italiano e si chiude nei Palazzi Vaticani.

1876 Nonostante i grandi problemi il bilancio dello Stato italiano raggiunge il pareggio.

1881 Andrea Costa fonda a Imola il giornale socialista «Avanti!».

1882 Andrea Costa viene eletto al Parlamento italiano.

1885 I primi soldati italiani sbarcano in Africa ed occupano Massaua, per conquistare poi l'Etiopia.

1896 Gli Italiani vengono sconfitti ad Adua (Etiopia) con fortissime perdite.

1898 A Milano una rivolta popolare viene repressa con l'esercito e le armi.

1899	Nasce a Torino la FIAT.
1900	Il Re Umberto I viene ucciso da un anarchico.
1903	Diviene primo ministro Giovanni Giolitti.
1905	La Somalia diviene colonia italiana.
1912	La Libia diviene colonia italiana.
1913	Giolitti inizia una serie di riforme nel mondo del lavoro ed estende il diritto di voto.
1915	L'Italia dichiara guerra all'Austria ed entra nella I guerra mondiale a fianco delle potenze della Triplice Intesa.
1918	Finisce la I guerra mondiale. L'Italia ha vinto, ma al tavolo della pace non ottiene ciò che le era stato promesso. Don Luigi Sturzo fonda il Partito popolare italiano.
1919	Benito Mussolini fonda i Fasci di combattimento.
1920	Scioperi e occupazioni delle fabbriche.
1921	Antonio Gramsci e altri socialisti rivoluzionari fondano il Partito comunista italiano.
1922	I capi del fascismo, con il consenso di Mussolini, marciano su Roma per fare un colpo di Stato. Mussolini diviene capo del governo.
1924	Viene rapito e ucciso dai fascisti il deputato socialista Giacomo Matteotti.
1925	Mussolini instaura un vero e proprio regime dittatoriale.
1929	Vengono firmati i Patti lateranensi fra la Chiesa e lo Stato italiano.
1935	Mussolini decide che l'Italia deve avere un Impero coloniale e fa guerra all'Etiopia.
1939	L'Italia stringe con la Germania di *Hitler* un'alleanza militare (Patto d'acciaio).
1940	Mussolini dichiara guerra a Francia e Inghilterra entrando così, alleato della Germania, nella II guerra mondiale.
1943 (25 luglio)	Mentre la situazione militare precipita, il Gran Consiglio del fascismo decide di liberarsi del Duce. Il Re fa arrestare il Duce.
1943 (8 settembre)	Il nuovo capo del governo, Pietro Badoglio, firma, con gli anglo-americani sbarcati in Sicilia, un armistizio.
1943 (ottobre)	Badoglio dichiara guerra alla Germania. Cominciano ad operare i primi gruppi partigiani. Nell'Italia del Nord i Tedeschi hanno messo Mussolini a capo della Repubblica di Salò.
1945 (25 aprile)	Gli alleati arrivano nell'Italia del Centro- Nord, molte città sono già state liberate dai partigiani. La guerra è finita.
1946 (2 giugno)	Un referendum popolare decide che l'Italia sarà una Repubblica.

1947	Viene approvata la Costituzione repubblicana.
1950	Nasce la Cassa per il Mezzogiorno.
1954	Cominciano le trasmissioni regolari della televisione italiana.
1962	Viene istituita la scuola media dell'obbligo. Tutti i ragazzi, dopo la scuola elementare, dovranno frequentare obbligatoriamente tre anni di scuola media, uguale per tutti.
1968	Rivolte studentesche.
1969	Lotte sindacali estese a tutti i settori lavorativi.
1970	Diviene legge dello Stato lo Statuto dei lavoratori (legge 20 maggio 1970,n.300).
1974	Referendum popolare sul divorzio.
1978	La legge 194 introduce in Italia «l'interruzione volontaria di gravidanza».
1978 (16 marzo)	Viene rapito dalle Brigate rosse (organizzazione terroristica di sinistra) il *leader* della Democrazia cristiana Aldo Moro. Verrà ucciso cinquantacinque giorni dopo.
1978-1980	Gli attentati terroristici sono più che mai numerosi con le Brigate rosse al centro dell'attenzione.
1982	Una legge che prevede forti riduzioni di pena per i terroristi «pentiti» che collaborano con la giustizia provoca una grossa crisi tra i gruppi terroristici.
1984	Le rivelazioni del boss Tommaso Buscetta danno un duro colpo alla mafia.
1986	La popolazione italiana raggiunge la «crescita zero».

Indice delle letture per settori di interesse

La guerra e la pace

Uomini e idee

Civiltà e società

... e le donne